la creación literaria

2

antología de la poesía latinoamericana del siglo xxi

el turno y la transición

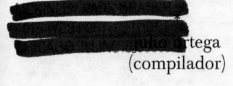

julio ortega
(compilador)

adriana aguirre
(asistente editorial)

**siglo
veintiuno
editores**

siglo veintiuno editores, s.a. de c.v.
CERRO DEL AGUA 248, DELEGACIÓN COYOACÁN, 04310, MEXICO, D.F.

siglo xxi editores argentina, s.a.
LAVALLE 1634 PISO 11-A C-1048AAN, BUENOS AIRES, ARGENTINA

portada de germán montalvo

primera edición, 1997
segunda edición, 2001
© siglo xxi editores, s.a. de c.v.
isbn 968-23-2086-0

ÍNDICE

PRÓLOGO

¿Cómo leer la poesía que vendrá? Por alguna razón, no del todo evidente, la lectura de poesía es siempre un acto de fe. Se ha dicho que presupone la suspensión de la credibilidad, y que abre un espacio alternativo a los negocios de este mundo. Pero aun si su voluntad de afincamiento nos exige muchas veces dirimir las disputas del presente; termina, no obstante, afirmando un presente proyectivo, reescrito desde la levedad del porvenir. ¿Cómo explicarse de otro modo la reafirmación de individualidad y de comunicación humanizadora, de intimidad de diálogo y deseo creador en la poesía más joven de este fin de siglo, precisamente cuando el presente documenta privaciones de todo orden? Al igual que otras artes de este tránsito, la poesía se ha convertido en una de las formas de futuridad compartible.

Este libro pretende leer ese porvenir. A través de la poesía de un grupo representativo de poetas menores de 40 años, esta muestra quiere documentar la escritura donde el futuro se está ahora mismo haciendo. Pero no por el mero prurito de anticipar los movimientos de cambio, y ni siquiera por empatía con las opciones innovadoras; sino por la necesidad de habitar, aquí y ahora, ese tiempo que nos adelanta, que hacemos nuestro en la lectura. Mientras avanzaba en esta antología y llegaban materiales vía expresa, facsimilar y electrónica, creí entender que esta selección sólo se podía hacer con esa copresencia inmediata, en la animación de un tiempo homólogo a la temporalidad urgida de la poesía misma. Esto es, con más tiempo la muestra podría ser más territorial, cubrir otros países y autores, pero terminaría siendo un tomo más histórico que virtual. Mi ambición es que sea un acto poético, una intervención en el paisaje cultural.

Ya el proceso de esta antología da cuenta de la virtualidad que busca comunicar. Ese proceso construía una suerte de mapa tentativo de la lectura, anudado a través del testimonio de compilaciones, revistas, cuadernos manuales, suplementos efímeros y corresponsales a lo largo del continente. Cuando estos amigos a su vez alertaron a otros de mi convocatoria, empezaron a llegarme textos aún inéditos de poetas más recientes, y me di cuenta de que un territorio de la escritura venidera se levantaba a escala de su lectura. Es un mapa que ahora el lector puede explorar a su gusto, prolongando las rutas de interrogación y de celebración, recorriendo su propio tomo de futuro. Porque se trata de un mapa donde la palabra poética es el hilo del habla que, una y otra vez, trama las refutaciones de este mundo y las adhesiones de este tiempo. Esa primera encrucijada entre las representaciones irónicas, desapegadas, a veces incluso perturbadoras; y los tiempos donde el futuro es un exceso de presente, al modo de una interrogación metódica y alucinada; esa encrucijada, digo, es de por sí peculiar a la intimidad de una voz que empieza por remontar el paisaje emotivo común, y sigue ensayando su lugar entre los discursos de contradicción afirmativa. Habría mucho que decir sobre estos cruces de escenarios mundanos y temporalidades anímicas, sobre esta extrapolación de lugares y tiempos bajo una mirada lúcida y convocatoria.

Pero en estas exploraciones se impuso otra lección, ésta más bien literaria. La primera intención de la antología era empezar con los poetas nacidos en los años cincuenta, a los que por un espejismo de la práctica innovadora, sigo considerando "jóvenes poetas". Después de todo, hace muy poco que en Caracas el Grupo Tráfico, con Yolanda Pantin, Rafael Castillo Zapata y Rafael Arraiz Lucca propuso una lengua poética más idiomática; que Horacio Costa, en México, y Roberto Echavarren, en Uruguay, levantaron estimulantes balances de los nuevos poetas, cuyo despliegue formal fue también una meditada aventura (Arturo Carrera, Raúl Zurita, Coral Bracho). Pues bien, resultó revelador del espíritu de los tiempos encontrar que buena parte de las antologías y muestras de ese período se titulaban a nombre de "lo nuevo" o "lo joven". En Lima, la poesía de los años sesenta había empezado con una importante afirmación de la estética del cambio, *Los nuevos* (1966). Los tomos de poesía nueva y poesía joven se han multiplicado desde entonces, y hasta hay en alguna parte uno llamado *Los nuevos nuevos*. Fue, así, una ceremonia melancólica comprobar que ese drama de la novedad tituló a lo pasajero. No porque esas muestras de poesía escrita en los años setenta sean prescindibles sino, más interesantemente, porque el aparato retórico y el despliegue textual tributaban a la actualidad de una poética operativa y a la vez autorreferencial; y conferían al poeta un "magisterio" dirimente, un aire de época. Pronto, me pareció entender que en los poetas más recientes, aquellos nacidos en torno y después de 1960, había ya otra sensibilidad. Pero, ¿es posible comprobar un cambio de sensibilidad poética a partir de la marca convencional cronológica, de una división en décadas diferenciables? ¿No es otra mitología del cambio concebir el tiempo diacrónico en repertorios de lo nuevo? Y, sin embargo, esta exploración adelantada de los poetas nacidos después de 1960 me llevó a concluir que, en efecto, se deben a otra representación (el mundo es menos remoto, más inmediato, y se manifiesta como cotidianidad) y a otra temporalidad (la página es un registro emotivo, el lenguaje es más enunciado que desplegado, el hablante está más cerca del lector, el acto poético es menos performativo y más dialógico).

Aún más. Hay, se diría, un desenfado de lo nuevo. Ya no la vehemencia de los poetas de Hora Zero que en la Lima de los años setenta pasearon por la calle el habla poética; pero tampoco el coloquialismo doméstico de los poetas nicaragüenses de los talleres literarios. Es el desenfado de quien para hablar debe romper la saturación del lenguaje. Después de todo, estos poetas escriben en una época signada por la posmodernidad periférica (por el desencanto con las agendas de la modernización neoliberal en México, Argentina y Perú); marcada por las crisis de todo orden (la crisis es el horizonte natural); despojada de explicaciones suficientes (la violencia, la corrupción, la depresión del espacio político se suceden sin esclarecimiento). Empezar a hablar entre discursos de carencia y de encubrimiento, por el lado de la experiencia nacional; y empezar a escribir en los márgenes de una textualidad poética saturada por la tecnología autorreferencial de los poetas nacidos hacia 1950; seguramente demandaba a los más jóvenes volver al valor más inmediato del habla, a su materialidad puesta a prueba, a la calidad

14

de lo específico, de lo emocional y analítico, a su verdad entre las manos y sin apelaciones. Estos poetas escriben en una situación por demás fluida: les ha tocado el turno de la palabra en la transición que rehace su lugar, marginal y precario, en una cultura sin horizonte social articulado; donde, sin embargo, deben recuperar el valor de las palabras y albergarlas del derroche de sinsentido. Han escrito ellos en las páginas más vulnerables. A diferencia de sus mayores, han tenido que publicar en modestísimos cuadernos (como ocurre en primer lugar con los poetas cubanos) y en ediciones artesanales y apenas locales. La gran mayoría de los libros de estos poetas que cito en la sección Autores, son inhallables. La poesía no ha dejado de leerse pero su irradiación se ha resentido, como casi todo en América Latina, de la fractura de los circuitos de comunicación así como del menoscabo del espacio disponible en los medios; ambos hechos son consecuencia de las crisis pero también del predominio del mercado literario más superficial. Sólo por ello un mapa del territorio poético actual es el primer modo de afirmarlo.

Con todo, uno todavía cree que la poesía hace su propio camino. Contra todas las razones en contra, los últimos poetas argentinos forjan un lugar en la revista *Diario de Poesía*, y exploran otro, abierto a las varias virtualidades en marcha, en *InterNauta Poesía*, una excelente revista en Internet. En Lima, y también en provincias, la actividad de recitales, pequeñísimas editoriales, y revistas como *Hueso Húmero* recuperan a los poetas, hechos a la mayor intemperie. En Caracas, los talleres literarios, que hace una década tenían una dinámica futurista, son ahora menos presentes, pero la poesía sigue convocando a su público

15

en jornadas, certámenes y editoras artesanales como Tierra de Gracia y Pequeña Venecia. Quizá no sea casual que, dadas las limitaciones evidentes del medio, los poetas peruanos de esta antología sean mayoritariamente universitarios y buena parte de ellos haya emigrado. Los poetas cubanos son, probablemente, los que participan en más concursos como una apuesta por la publicación posible. Los mexicanos, a diferencia de sus predecesores inmediatos, están dispersos en editoriales marginales. Pero de casi todos sabemos, al final, muy poco: las revistas donde aparecen sus poemas dicen de ellos lo mínimo. Al contrario de sus reconocidos colegas de la promoción anterior, casi carecen de biografía literaria. Son transitivos también en esto de ceder pronto el turno.

Pero la nueva sensibilidad se hace patente, por lo demás, en la intimidad del monólogo dramático, que comunica el temblor del habla viva, donde el cuerpo se desnuda, la psiquis se revela, y el hablante se confiesa. Estas operaciones, muchas veces planteadas con distanciamiento irónico, con la objetividad prolija con que se documenta aquí a la subjetividad incierta; son operaciones donde la palabra poética se enuncia como una verdad de nuevo cuño: su rango "literario" ha sido remplazado por su condición de experiencia única, cuyo valor expresivo es exactamente el mismo que su validez comunicativa. Esto es, leemos "poesía" en un lenguaje que ya no es "literario" o "poético"; que es un lenguaje tentativo pero intransferible, cotidiano pero distintivo, subjetivo pero documental. Leer poesía, en esta nueva sensibilidad, no equivale a pasar a otra dimensión, transida o epifánica; tampoco a otra parte de la existencia, supuestamente más genuina; y mucho menos acogerse a la fe en un absoluto de la lírica metafórica o en el logos del lenguaje esencial. Todo aquí ocurre en el tiempo. O mejor, en el destiempo de este mundo, restado hasta estas pocas y definitivas palabras que con la verdad de hoy hacen la imaginación de mañana.

Por otra parte, la transitoriedad de los modelos de leer y de las valoraciones culturales se hace patente en estos poetas, no en vano favorecidos por el día siguiente de la normatividad. Libres, incluso, del mandarinismo y de la reciente obsesión teorizante. En el actual período posteórico, de mayor pluralidad y tolerancia, estos poetas no requieren ya adherirse a un solo modelo de lectura, a una estética dominante, y mucho menos a una opción monológica excluyente. Un ejemplo sensible es el del feminismo. De ser una de las fuerzas democratizadoras de la vida cotidiana en América Latina, pasó a ejercer no pocas veces una voluntad de poder, al menos en su versión academizante y bien pensante; y ha terminado, hay que decirlo, en el énfasis retórico. En cambio, el posfeminismo de hoy asume el sentido crítico de las evidencias: en lugar de situar aisladamente a la mujer, a las escritoras, a la feminidad, se ocupa de los géneros en interacción, de las escritoras y los escritores en su mutualidad. Varias de las poetas de esta antología han pasado por esa transición, de la noción de una mujer víctima a la posibilidad de una mujer capaz de rehacer el turno de la pareja.

Otro caso sintomático concierne a la lectura misma. La pregunta más pertinente en la teoría cultural de este fin de siglo atañe a la naturaleza asistemática de los textos y las obras. ¿Cómo, en efecto, leer los objetos culturales que se proyectan y exceden el pre-

17

sente? ¿Cómo hacer legible lo que aún no se configura del todo? El modelo hasta ayer dominante fue el del Archivo. Leer se convirtió en una operación melancólica: cada elemento del texto remitía a uno anterior, que lo explicaba. Esta virtud filológica, sin embargo, terminó saturando a los textos, y convirtió a la crítica en una operación museológica. Hoy es más pertinente leer en la otra dirección: hacia adelante, porque los objetos culturales han perdido su estatuto normativo, su índole disciplinaria prefijada, su familia de imágenes retrazable; se han hecho híbridos, desplazados de su origen, fronterizos. Son, por lo mismo, objetos procesales, en movimiento hacia afuera; resultan, así, más difíciles de leer y describir. Pero las rutas de lo nuevo, abiertas entre flujos y texturas de exploración, demandan de la lectura actual las nuevas articulaciones que, fuera del Archivo, levanten el mapa de la intemperie y tracen los parajes del reconocimiento.

Esa fuerza articulatoria se insinúa en varios de estos poemas. En primer lugar, en sus contextualizaciones, que levantan escenarios donde ensayar la lectura de lo fluido. Esas contextualizaciones pueden ser urbanas y cotidianas, provenir de la cultura popular o del debate social y cultural inmediato; pero no son fuentes de origen sino paisajes de referencia del recomienzo. En segundo lugar, la capacidad articulatoria se insinúa en las correspondencias con distintos lenguajes que traman el tejido del coloquio. La correspondencia más ensayada es con la lengua oral transpuesta a modos de enunciación como el himno, el soliloquio, el diario, el informe clínico. Son modos y modulaciones recortados de su poder y elocuencia tradicional, reapropiados con una voz decible, que no se representa como excepción visionaria ni como suntuosidad barroca porque busca la intimidad de ser dicha, la escena compartida, y a veces incluso la glosa irónica. ¿Cómo entender estos esfuerzos de reconstrucción poética liminar y fronteriza? Primeramente, los contextos no son lugares geográficos dados, espacios raigales; son, más bien, anfiteatros de la imagen migratoria que se desencadena en la lectura hacia un espacio no fijado. De allí el carácter trashumante de este registro: el poema viene de un lugar y sigue a otro, pero su poder articulatorio se da en su tránsito, no en su origen. En segundo término, las correspondencias orales del poema prevalecen no como tipicidad coloquial sino como acto de habla: la voz es instante y ocurrencia, sin mayor énfasis pero con toda la presencia que acarrea su ganancia de tiempo enunciado, de articulación silábica.

Pienso, como lector privilegiado, que cada escritor no inventa necesariamente a sus precursores, como creyó Borges desde la causalidad del linaje literario. Inventa, más bien, a sus lectores futuros: en este caso, en la cotemporalidad de la poesía, el poeta elige a los grandes practicantes de una lectura modélica donde su propia escritura empieza a descifrarse, a hacerse legible. Por eso, los poetas cubanos se leen a sí mismos en una demanda superior: la poesía de José Lezama Lima, que los lee con el ligero sobresalto de una complicidad gozosa. No desde un estilo de escribir sino en una exigencia de leer, Lezama los descifra con el aliento creador del desafío mayor. Desde muy jóvenes, estos poetas no son sólo excelentes sino que están favorecidos por una excelencia de empatía. Tanto, que han demostrado el coraje de una opción artística tan válida como cualquier otro pro-

19

yecto vital, tan cierta como cualquier noción de futuro. Y deben ser de las pocas y raras promociones poéticas que han sido capaces de influir a sus mayores, demostrándoles que en la independencia del arte hay una validación interior y una apuesta creativa contra todas las limitaciones. Pero no es sólo Lezama; son también Cintio Vitier y Fina García Marruz, César López, Manuel Díaz Martínez, Reina María Rodríguez y varios otros; más que pre-cursores, post-cursores, porque dan curso a una ciudad del habla anticipada. La poesía cubana, dentro y fuera de Cuba, es uno de los estados de gracia que el habla latinoamericana ha sido capaz de encender, animada por todos los vientos opuestos.

No es muy distinto el caso de los más jóvenes poetas peruanos, que han hecho de Jorge Eduardo Eielson, Blanca Varela y Pablo Guevara no los ejemplos de una tradición actualizada sino los practicantes de una próxima libertad. Los jóvenes se releen en la obra de estos grandes artistas de la palabra rotante, que no se fija en la página, y lo que dice lo permuta entre equivalencias, fulguraciones y refutaciones. Por eso, esta poesía peruana está siempre recomenzando: todo le es tentativo, de modo vehemente, porque todo se debe a los nombres en trance, en fuga. La poesía es esta primera lectura entredicha: el reinicio de un acertijo momentáneo.

Mientras avanzaba con esta muestra, desde los más jóvenes y hacia los mayores, mi propia lectura asumía este tiempo más reciente, tocado ya de futuro. Para exceder la convención, arbitraria pero inevitable, de una fecha límite, había decidido incluir por lo menos a dos poetas nacidos en 1959, la venezolana Martha Kornblith y el cubano Rolando Sánchez

20

Mejías. Me parecía que el diálogo de los poetas de este libro, que no me plantée como temático pero sí desde una constelación de proyecciones, reclamaba la presencia de esa poeta del desconsuelo, que fijaba con nitidez los signos de la experiencia clínica, recontando uno de los riesgos de la sensibilidad de fin de siglo, el de la depresión sin salida. Cuando ya terminaba el tomo, hacia comienzos de junio, me llegó la noticia de su suicidio. Ese desenlace conmovedor nos hace considerar su poesía no solamente desde una clave biográfica sino, sobre todo, desde la desolación de la lectura. Como si ya no hubiese podido leerse sino bajo el sol negro de la melancolía. Hacia esa herida que no se cierra avanza esta alternancia de lecturas, para no olvidar que nos leemos también desde la soledad del poeta extraviado en la ciudad sin habla. En estas simetrías de futuridad, sin embargo, me pareció que la antología le alcanzaba un lugar para su lectura acompañada; y que, en las últimas páginas del libro, entre poetas que casi todo lo esperan del futuro, ella lo esperaba ya todo de nuestra lectura. Con Sánchez Mejías, uno de los poetas cubanos más inventivos y analíticos, culmina este recorrido, con su afirmación de libertades en pugna. Y a modo de epílogo, enviado por María Mercedes Carranza desde la Bogotá convulsionada, me llega un poema de Robinson Quintero Ossa que actualiza el remoto tópico del canto.

En esta poesía que nos trae las primicias del XXI podemos leer nuestra propia futuridad: una palabra que nos aguarda más ciertos.

JULIO ORTEGA
Providence, julio de 1997

21

LIZARDO CRUZADO

PARA M.M.

(O sea, para
Marilyn Monroe; para Mi Madre)

Decir que Marilyn Monroe no fue Mi Madre
no es lo mismo
que decir que Mi Madre no fue Marilyn Monroe.
Fijo que suena confuso como un sofisma;
pero viendo bien, viéndola bien,
                                        viéndolas,
ambas tienen —aparte del
esqueleto lentísimo y el erizado pellejo celeste—
unos cuantos sueños hechos mierda,
fotografías amarillentas
—cual marchitas magnolias—
olvidadas bajo el colchón o los párpados,
y unas ardientes ganas de ser amadas
mordidas lamidas y apretadas
como maduras chirimoyas o como higos.
Aunque fuera el viento neoyorquino el que
alzó a Marilyn las faldas
y a Mi Madre las ropas oprimiesen
las resecas
brisas del arenal,
ambas han llorado desnudas, al menos una vez,
extraviadas entre ortigas y sedas.
Y si Mi Madre no hubiera

23

abandonado el cine oscuro donde su juventud aullaba
con la última butaca clavada
en pleno pecho
tal vez estaría ella ahora escribiendo sus memorias;
y por otro lado —o por el mismo—
se hallaría Marilyn pelando legumbres y patatas
o hirviendo sopa y calcetines
cuando muere la tarde.

Ambas
fueron desgarradamente felices
e infelices también —desgarradoramente—.
La única
y pequeña diferencia es que Marilyn reventó
al tomarse cincuenta cápsulas de nembutal
y que Mi Madre
me parió a mí.

Lo cual
verdaderamente es casi lo mismo.

(*hueso húmero*, núm. 31, Lima, diciembre de 1994)

VERÓNICA VIOLA FISHER

FRAGMENTOS

De mamá tuve un cordón umbilical
y de papá también
tuve un cordón
cerebral
que el médico anudó
innumerables veces con una
fuerza descomunal y atroz

Desde el ombligo el ano
un bebé caquita blanca
como las manos de mamá
pero mi cerebro no sabe
hacer la digestión
su ombligo es mi boca
y mi boca es un tajo
al nudo
atroz un tajo y sangre
como las manos de papá
intentando anudar
otra vez su cordón

   ***

Hija mía
y de una gran
perra

¿dónde enterraste
los huesos
que todavía, estaban vivos?
sos el mejor amigo del hombre
y soy tu padre
dámelos
quiero mis huesos
sin tierra
que parezcan marfil
hija mía
¿bajo arena
o cavaste un pozo
en el océano?
dámelos dámelos ya
hija
—*los enterré en mi cuerpo
papá*

   ***

Vos sola
te mutilaste
solita nomás
decidiste nacer una
semana antes con el cuerpo
formado a medias
no quisiste
esperar el crecimiento
de los atributos que debe
un primerizo a su padre no
podías no desilusionarme
desde el comienzo
nada entre tus piernas
inválida

***

Le dijo la quería Barbie
y ella
estúpidamente
se dejó crecer
la barba
Como vos papito
me chilló
Le dije que la quería
menos
que antes
yo jugaba con Barbies
cuando era pibe
pero ella
no entiende
estúpidamente juega
a la pelota qué
mal la puse
¿y ahora qué?
viene con una gillette en la mano
afeitáme papito
qué golazo
me pide le corte la yugular

(*Hacer sapito*)

HUEVOS

Las cigüeñas jóvenes que llegan
no ocupan nidos vacíos
Van al ataque de otros
hogares ocupados por familias,
los arrebatan o mueren. Hijas perdidas

tal vez, que vuelven a vengarse
inadaptadas pajaritas de papel
la mayoría, débiles.
Después de muertas, renacen buenas
y se ocupan de viajar cargando niños
rosados, normales, niñas también.
Si el llanto cesa y los bebés ríen
son abandonados
o el destino coloca cables
de alta tensión donde queda la cigüeña
como un avión de guerra o bien
como una equilibrista
dormida sobre la cuerda. Entonces,
la bebé moquea en su última respuesta.
A mí me trajo un cuervo,
hembra y yo en venganza
le comí los ovarios.
Ahora pone huevos.

¿TENÉS PASTA?

Todos, y mi médico aseguran
que tengo una vida
interior bastante rica como para
no sentirme
sola
Debo pulir
toda encía rebelde
con un cepillito
antes de dormir. Hoy no comí
remolachas –explicaba en mi terapia–
Son estas
palabras se me caen a cachos y

golpean Si son
ricas? El interior se hace
destrozar si son muchas?
por una
belleza falsa
No sentirme, no
La tengo en la punta de la lengua
es una chinche
de metal bastante insulsa
como para no decir
Cómo no decir: pará
de hachar el frenillo y coséte
una jaula en mitad de la garganta
¿Tenés pasta?
para sobrevivir no
quiero lavarme otra vez, no mires
lo que disfruto. Antes de dormir ay
rica cebolla, hoja
por hoja diente por diente muela
a palos
su idea
incorrecta aprenda que
la realidad no es solitaria y usted
es real
que tengo una vida
aseguran todos, creyentes del ojo porque
me ven consideran
que existo.

CALIFORNIA CREO

Hubo una época en el país del norte,
California creo, llegó una plaga

de sapos que tenían cierta sustancia en el lomo.
Yo sólo conozco las sábanas con huecos
donde probar tijeras y probar
mi inocencia. Lamer un sapo y ver
cualquier cosa, decían
personas de mi edad y generosas. Sumerjo
en mí una pinza por curiosidad
arremeto entre las sábanas manchadas
hasta el fondo mi barriga
tiene un sapo. Cerrar veloz el tajo
así no muero fue un arduo trabajo pero siempre
resulta: mi condena. Lamer su lomo
cerrar los ojos probar
mi inocencia frente al otro
país del sur donde mis hijos
lamen mi boca para recordar el agua, hijitos,
que nunca tuve pero estaban
siempre cantando: el que come y no
convida tiene un sapo en la barriga
Recuerdo a mi madre, anoréxica y no dejo
de comer
de lamer mi propia espalda
para ver cualquier cosa, generosa, inocente
que no sea, yo, pura
casualidad entre dos seres de aquella época que no
sea yo que no
quiero verla la sangre del futuro en esta arena
de circo. Quién paga y quién
con vida pagará mi sufrimiento
¡Seré yo! —gritó el sapo en mi barriga
Entre las sábanas hay sólo un hueco
por él se ven
desafiladas mis tijeras.

AS DE ORO

Soplo, tiro los cuadraditos sobre el paño de la mesa
      y soy
feliz. Generala. Mujer déspota y sumisa
de la arbitrariedad.
Observo los tres ases. Son míos. Poderosa canto
aplasto sombreros con mi pierna corta, sonrío a la
      nuca
de los demás concursantes. Apuesto al doce
pago por el rojo y colorado! ¡Colorado el doce!
      Cobro.
Sí, cobro, recibo, aguanto la mortaja del papel
comprador. Camino sola, seria.
Entro a un negocio y pregunto −¿podría darme
la hora?− El vendedor me la envuelve
llena de moños, la llevo.
Si bien en el juego, mal en el amor −dijo
un borracho sobre la vereda y yo pensé
que el amor sólo era juego, justamente
el azar defendió sus tierras
y castigó a quienes intentaron
construir ciudades verdaderas.
Voy al casino. Necesito luz blanca,
ahogarme en brillos. Si no, caigo.
Casi no veo de noche. El día es negro. Y otra
otra vez casi no, casi
suculenta me rozo algún labio.

MARQUESINA

Después anuncio: yo puedo
consolarte, dejáme, hacerte creer que poseo

31

dedos de valor incalculable. Soy la madre
recién nacida. Soy viento
revolviendo tu cuero
cabelludo o tu cuero sintético
gran asistente de luces
para el efecto: de cuerpo entero
mi nombre.

(*InterNauta Poesía*, http://www.poesia.com)

SANTIAGO VEGA

PAPÁ SE INCENDIA

Mi padre se vuelve al catolicismo
y quiere que yo también me vuelva.
Quiere que salgamos esta tarde
con una biblia bajo el brazo
a visitar a todo su público pudiente.
Mi padre quiere que le ayude a montar
un escenario sobre el techo del Abasto.
¡Para que toda la gente lo escuche!
¡Para que toda la gente lo aclame!
Mi padre pasa hablando del amor de Dios.
¡Ay, Dios mío tendré que soportarlo!
Mi padre pasa elogiando la remera
que Durand trajo de Inglaterra.
Mi padre pasa haciendo bromas brillantes.
Mi padre, púdico sentimental, pasa recién afeitado.
Papá se cuelga del cartel de Coto, le agarra
la electricidad y cae sobre el asfalto mugroso.
Papá pierde el conocimiento, y cree que es
Ricardo Zelarayán.
Si no estoy mintiendo un poco, ya no odia
a Enzo Francescoli.
Es más, cree que es Enzo Francescoli
y anda haciendo chilenas por el aire.
Papá pisa un cable de su escenario y se
incendia,
desde abajo todos le tiran baldazos de agua

y le dicen: ¡Largáte! ¡Largáte!
Papá se larga y sale corriendo
(¡envuelto en llamas!)
hasta Tucumán y Agüero,
para el 46 hace bajar a toda la gente y se va
con el colectivo. ¡Y el colectivero de rehén!
Papá maneja el colectivo descontrolado,
el 46 da vueltas como un trompo
hasta que se mete en el Rancho A y B
donde los bolitas bailan cumbia.
El 46 dejó un gran aujero en la tierra.
Papá desapareció.
Los ratis de la 21 todavía lo andan
buscando.

PAPÁ PUÑOS DE DINAMITA

Todos los paraguayos odian a Papá.
Porque ese hombre es un demonio.
Porque cuando suena la cumbia nadie
la baila como él.
Porque papá se cogió a la más linda
de Samber Club,
cuando todos los paraguayos bailaban
cachaca mexicana.
Ahora la luna apenas entra por los
reservados, una mesita con un vaso
de Gancia a medio terminar…
Papá ha muerto a manos de la colectividad
paraguaya.
Y de nada le sirvieron sus puños
de dinamita, su fama de secuestrador
de colectiveros…

34

Y la paraguaya que papá se cogió
en el Samber Club, la que se hacía trincar
con todo aquel que no fuera paraguayo,
baila en el escenario.
La luna, afuera, ilumina la Estación
Constitución.

Y LO SACARON DEL LUNA PARK EN
AMBULANCIA...

Pero no precisamente del Luna,
sino de la placita que está a la vuelta,
hasta que después de un lumínico,
intenso cotejar, avergonzados,
corrieron al darse cuenta que os
vieron en pleno acto amoroso.
Y finalmente los cercaron,
los robaron y al Juniors le cortaron
la cabeza...
Les rogaba por algún Dios
que no lo mataran
y esto pasó...
La pandilla castradora le pone velas
a Lorena Bobbit.
Detrás de las grúas del puerto
iluminadas en un atardecer rosado
iban lentamente
inclinando ascuas y ganchos
al son de un suave y blando movimiento...

APOCALÍPTICO RESCATE DE ZELARAYÁN

¡Ése mi pollo de Orán!
Formidable derechazo en la jeta
de guardia petiso, que le hace
tronar los dientes, la jeta se le estiró
como un chicle, se le puso atrás de la nuca.
¡Qué mano! ¡Qué ductilidad de mano!
El petiso trata de recomponerse
pero todavía tiene en los ojos
las montañas de Marte.
¡Huipi! ¡Se armó!
El guardia que lo tenía a Zelarayán
lo suelta y se va como un toro embalado
hacia el mosquito que liga un tremendo
gomazo, que lo hace volar...
¡El mosqui vuela como una palomita
sobre los carritos!
Aterriza de trompa y se desliza haciendo música
para caer sobre el capot de un Peugeot.
¡Qué mano! ¡Qué ductilidad de mano!
El guardia grandote lo afeitó
de un fantástico derechazo...
Del supermercado viene saliendo Carlitos Juniors
con una sirvientita empujando
un carrito lleno de comidas.
¡Está preciosa la sirvientita del Juniors!
Los guardias tienen apoyo logístico:
de la garita salió uno con un guolti-toki
y Zelarayán lo paró de un codazo
que le hizo tragar el guolti-toki.
¡Cabeza de guolti-toki!
¡Cabeza de guolti-toki!, cantaba Zelarayán;
se lo tragó todo, se le veía cómo bajaba

por la tráquea del alcahuete.
Nos subimos a un camión de cerveza
que estaba descargando, lo más campante;
pusimos al Juniors al volante y la paragua al medio.
¡Qué preciosa estaba la paragua!
El Juniors vio el volante y se transformó.
Salimos embalados por Coronel Díaz.
¡Ése mi pollo de Aniyaco!
Agarramos Soler y después doblamos
por la curva de Agüero a todo lo que da.
¡Esa Zulemita!
¡Carlitos iba por Agüero concentrado
como si fuera por las Sierras de Córdoba.
¡Carlitos corría el Rally Agüero!
¡Hiupi!
Cruzamos Córdoba a toda velocidá
¡con toda la prefectura atrás!
¡Y siete, siete patrulleros de la 21!
¡Los patrulleros despertaron al barrio!
¡Hiupi! ¡El colmo del afano!
¡Qué superbanda!
Zelarayán empieza a tirar botellazos
de cerveza,
los vidrios oscuros sobre la calle Agüero…
¡Un río de espuma y cerveza!
Zelarayán tira a dos manos, fanático.
¡Tomen, botones! ¡Beban la leche de mi palo!
¡Lame pijas de la Cía! ¡Lame conchas de la Fortabat!
Y así perdimos a los ratis,
bajo el sol de la tarde calurosa…

(*InterNauta Poesía*)

CLAUDIA MASIN

EL NIDO

La sonrisa radiactiva del padre,
esparciendo su haz de luz mortífera,
parece decir: *estoy aquí*
para trazar la línea,
arbitrario y generoso como Zeus.
De este lado, los pollitos
sanos y hermosos, mis hijos.
Del otro, los cadáveres, sus plumas
revoloteando en el aire
creado por mi aliento.
Otorgo el alimento y el veneno
por partes iguales.
Ordeno la fila, corto los vértices
que sobresalen, satisfecho
por la magnitud de la desgracia que puedo
hacer brotar de las piedras
como agua.

EL HILO

Esta mañana corrí como si ellos
vinieran detrás y ellos sonrieron
desde adentro. Mala. Soy
mala como la nena que cayó
desde un décimo piso por mirarse

demasiado en los espejos.
No era vanidad, no, era apenas
espanto.
Desciendo de tu cuerpo
con mi oficio de boa no sé
qué hacer primero:
si tatuar una figura
que te muestre muriendo allí
en tu propio pecho, o desollar
despacio las piernas sonriendo,
o tal vez quemarte
los pómulos ensayando el gesto
de mamita en vigilia pero
quién te toca como lo hace
la única que te ama quién
sino la misma que te arrastra
y se va —asesina— con un rumor
de guerra, de arena, de alegría.

EL TIEMPO

Un hospital de pueblo
a las dos
de la tarde.

El médico
que me atiende se parece
—sospechosamente—
al médico kafkiano.
Estoy feliz,
tengo mi propio
médico rural.

Admiro en mi costado
la herida hermosa, los gusanos
como flores exóticas. Escucho:
ha nacido con ella.

Una ronda de niños
se arroja mi cabeza.
Parece una moneda
de cobre en el espacio
clarísimo, en la tarde
sin sol.

—Hay una prenda para quien
la deje caer —aviso,
agitada por tanto vaivén.

Mientras circula de mano
en mano, mi boca apenas dice:
que lo hermoso se convierta
en horrible,
que lo horrible amanezca
belleza.

Bostezan
enfermeras y abuelas
a los pies de mi cama.
Son las dos de la tarde
desde hace cinco años.
Estoy aquí, ocupada
en contar el número
de pasos existente
de la puerta hasta mí,
el número de veces
que respiro en la noche,

la eternidad me observa,
incrédula, celosa.

(Inéditos)

MÓNICA VELÁSQUEZ GUZMÁN

querías un corazón poblado
querías un cuerpo sin muros
un beso suyo
que retrase la muerte
un día

***

tanteando
la distancia
cómo, dónde
el punto final

***

antes de la fosa común
                    escribes
ni testamento ni canto
pero barajas letras
para bautizarte
y saber por fin
                    cómo te llamas

***

la palidez
los hilos en el pelo
tierra en el cuerpo de tu cuerpo

dirán que volviste barro al barro
murmurarán recuerdos apenados
nadie sabrá leer tu abecedario

(Tres nombres para un lugar)

NORGE ESPINOSA MENDOZA

DEJAR LA ISLA

I

Como si pretendiéramos no haber escuchado
al caramillo en nuestro pecho dibujar cantos anti-
    guos,
un santo día de paz, un día ansioso de tormentas
venimos a por el adiós,
a por la angustia mortal de todo viaje.
Como si aún no fuéramos demasiado niños
y allá en nuestra humedad no agonizara extraña lie-
    bre,
quebramos el círculo, danzón, esa dulzura
que ofrecía, paternal, el abrazo en su demora.
Todo queda lejos del fulgor que se nos sueña.
Todo engrandece ya nuestro sexo, nuestra brújula.
Y hemos jurado viajar, romper la imagen
del dios languideciente que nuestra casa encendía.
Todo aburre ya.
El paisaje, indefinido, nos ofrece su moneda.

Y el hijo del farsante, el pagador, sus luciérnagas,
nos enseñan el camino que siempre se apresura.
Y el héroe, el mutilado capitán de gris conquista
nos ha hablado de un lugar donde el fuego es más ra-
    bioso.
Y el vendedor de grillos, el igual, el comediante,

fabulan sobre un país similar a los espejos:
dorada estampa,

sangre virgen,

ciudad irrenunciable,
sitio que a nuestra edad saluda y fortifica.

II

Yo siempre obedecía a las miradas que mi madre
lanzaba, tornasol, alrededor de mi cabeza.
Yo nunca fui más allá de su paso, que añoraba
verme atravesar la provincia como un príncipe.

La provincia desbordaba por su miel y su leche…

La provincia destendida…

La provincia no más.
Pero yo supe del carmín que saborean los fugitivos
y tuve por mujer el alma de una extraña.
Y tuve más. Y pude
adivinar el horizonte.
Mi madre me veía atravesar las flores de sus ojos.
Yo era el más hermoso. Su cuerpo en gloria. Más.
Pero el camino me ofrecía la vocación de los dan -
zantes,
me hablaba de parientes, de un color no conocido.
Y fue mayor el juego, mayor aún que la isla
mi voz recién brotada, mi golpe en las estrellas.
Yo siempre obedecí a las pupilas de mi madre.
Pero pudo más el viaje. Todo pudo más.

III

Dejar la isla,
abandonarse al polvo elemental de cada aullido,

45

del almuerzo salvador y del pájaro en la mesa
tan abierta y familiar en la más sagrada hora.
Morir, dejarse
caer a otro sentido lejano al de la fiesta
que giraba en los amigos cuando el saludo era un ha-
    llazgo
y el oro nos caía como trino en los bolsillos.
No estar, despedazarse
hacia una nueva orfandad que lastima y muerde
otra y otra vez, y otra
desdorada por el mismo resplandor con que tejí mi
    podredumbre.
Partir, cifrar el rumbo
que impone a cada rostro la lágrima que nadie po-
    dría arrebatarse.

Dejar la isla negando el cáliz de la rosa,
el agua vespertina,
                        su luz,
                                tan familiares.
Saltar del mimbre al lienzo, provocando ese espanto
que no diluye otra voz que no sea la furtiva.
Dejar esta isla por otra menos dadivosa,
mucho menos cierta, exacta o calada.
Dejar todo un planeta, una casa, un filo
de luna común abandonado a la intemperie
para corrompernos en jaurías de miserias
y no tener por cardinal ni al árbol ni sus nombres,
y no tener por amigo
sino a un muchacho de ojos peligrosamente verdes.
Todos queremos escapar, destilarnos en el mundo,
trocar nuestra virtud por otros cuerpos más silentes.
Todos queremos detenernos en actos de violencia
que contar a los padres, a los hijos, al cuchillo.

46

Y así quebramos la falda para huir a lo invisible
asesinando a algún niño, a un corazón que espera.
Viajar, viajar, y en el centro del delirio
tocar a puertas de maldad, donde la víctima es el
    pecho
que muestra latitudes de rama pisoteada.
"Adiós, adiós"
decimos, y es la lumbre,
el brillo del hogar lo que se quebranta y rueda.

IV

Porque uno esconde el as y una noche lo extravía,
porque el pájaro en la sombra dobla el sueño, dobla
    el llanto.
Porque uno ha sido cazado en temporadas de naufra-
    gio
y carga el peso del mar, y el mar se nos confunde,
siempre tendremos que viajar, que romper nuestra
    llamada,
nuestras fiestas, nuestra piel, en clamor de indócil
    fuego.
Porque para crecer debe romperse una estatura
que protege toda flor; nuestra infancia está negada.
Pueblos de mí mismo, isla de mi hambre
aún por aplacar, escucha: te abandono.
Casa de mi hora, de mi pan, jaula
de dormir tranquilo y con el río a cuestas,
nada puede darme en verdad otra aventura
que no sea el viajar, el robarme en lo lejano
este atardecer que mi impaciencia desmerece.
Parto. Es el fin.
Me despido.

No hay certeza de que vuelva yo soldado, bailarín,
    ajeno,
o de que vuelva simplemente enfrentado a mi tamaño.
Ya esta ceiba no será el mayor árbol del mundo.
Ya no seré yo, sino el que muere lejos.
Todo hijo se desprende en adiós, se va a lo solo
a vivir a lo terrible, a desgarrarse en qué tabernas.
Todo hombre, poeta, animal indivino
tiene un camino por hacer: su propio vientre.
Y toda madre se hace bruma, toda morada se nos
    niega:
apenas queda errar. Lo demás, es el polvo.
Apenas queda crecer. Lo demás, es el llanto.
Dejemos, pues, el sitio
habitual de la agonía, de la estancia ya tan pequeña.
Dejemos, pues, la isla
geográfica y sedienta que el mar no enardece
sino con su silbo en la estación más triste
donde el único poema parece ser el agua.
Porque todo el que ha cantado tiene ansia de su eco,
porque todo el que palpita, del vecino morir se ex-
    traña
adivinando un mundo que nos promete albores:
un ensueño del cual también regresaremos.
Todo aquello que dejamos está en nosotros mismos,
como este cuerpo antiguo que inocentemente cree-
    mos ver partir,
mientras la espuma, pronta y laboriosa,
con su gesto de madre, como a una isla, lo hunde.

Todo el que parte, regresa.

Todo el que regresa, arde.

POEMA DE SITUACIÓN

Yo no necesito la muerte de los mártires.

No necesito de sus rostros en la ira de la muchedum-
    bre,
no preciso de sus voces que golpean en la pancarta,
en los muros, en las redes, en las piezas del domingo.
No me hacen falta sus nombres,
                              la sangre en que
    crecieron.
Sus ojos, sus gritos, no son angustias para mí.
No son las furias que hierven en las manos de los
    otros.

Me vale más saber que ellos rieron como yo,
que de mi edad sufrieron como ahora yo sufro:
Desnudo, Gris, Bebido e Insolente.
Me vale más saber que somos gemelos de un tiempo
donde quizás sus mujeres lleguen a ser las mías
y podamos confundirnos en lo febril de las puertas.
Me vale más tenerlos como parte de mis días.

(*Poesía cubana: La isla entera,*
Felipe Lázaro y Bladimir Zamora, eds., Betania, 1995)

VICTORIA GUERRERO

CRÓNICA DE TOMÁS ANTES DE VER
A CRISTO RESUCITADO

Diremos de Cristo que fue un semihombre
y que comió pan y pescado
Diremos de Cristo lo que no dijimos de Caín

No diremos que fue labrador
ni que dio muerte a su hermano

No que fue hijo de Adán y Eva
ni que anduvo errante y vagabundo

Que no fue el Génesis quien le dio vida
sino Mateo Marcos Lucas Juan y María

Que no era intocable
sino que está muerto y con muchos clavos

Que no lo quiero en una cruz de lejitos
sino cerca y tan cerca
que pueda sentir sus llagas
y que me diga si existe la justicia terrena
(que no me importa la divina)

Y si no es así

Diremos que no desciende de Caín
y que ése fue su error

(*De este reino*)

A UN MUCHACHO CORONADO DE ESTRELLAS

Enfermo, aterrado por esta flor turbulenta
Pero viene hacia mí
El melancólico muchacho coronado de estrellas
y me traspasa con su calor infinito
y devora sombras de otro tiempo

A sus espaldas se pierde el universo

Entonces quisiera ser yo también una estrella
y así poder reflejarme alguna vez
en un agua clara

LOS CHICOS NO LLORAN

Los chicos no lloran.
Yo soy un pequeño haragán
y pierdo a mis encantados confidentes
por no poder mirarles de nuevo a los ojos.
Si el que está prisionero no llora
¿por qué yo he de llorar?
Lo que está afuera brilla en mí, pero
eso es sólo un reflejo. Oculto no se puede
atrapar lo que está afuera.
Hace mucho tiempo debí haber abandonado
mi infancia, pero continúo viviendo en ella

51

como un chiquillo alocado y silencioso,
sin mostrar ni una sola lágrima para los otros.

Ojalá siempre fuese un niño malhumorado
y este cigarrillo no se apagase nunca.

ANIMAL NOCTURNO

Es cierto, tal vez no te ame

Tras mi silencio
hay una tímida mariposa

Se destruye dentro de mí
cuando te ausentas

(Cisnes estrangulados)

J.P. EMANUELLE

POEMA

El cuarto lo contiene todo; una idea de zona íntima,
placeres que se prohíben, simpatías en el vecindario
       y ranuras de escape.
Todo lo contiene todo como si fuese un cuarto que
fuera un mundo. En la casa, toda región se multiplica
hacia abajo en reducción infinita.
La ventana del cuarto es el centro de la casa y por eso
le vemos aumentarse a todo fuera de los contornos
del patio, que los señala una verja.
Entonces que desde cualquier parte advertimos lo
que es infinito hacia arriba pero también lo infinito
hacia abajo, todo parece un juego desdoblado que
       unos juegan en una parte, otros en otra, y muy
       privilegiados
y adoloridos pocos hombres en ambas partes, o,
       necesario el caso, en ningunas partes.
Pero ninguna parte también tiene de todo lo que
son ríos, montañas y arbustos. Ninguna parte tiene
valles sorprendentes y flora típica.
Y más extraño que todo lo que decirse de ninguna
parte, ni de su operación elástica ni de
su acogedora geografía o de sus pantanos o sus túneles,
es que el cuarto de una casa que lo contiene todo
puede tener al lado de la cama una ninguna parte,
o perchado entre los vestidos una ninguna parte,
o escondido en una gaveta o con los ojos cerrados

53

en un libro esa cosa desalambrada y libre.
Pero como tuviera en otros sabor a mentira hablar
sin más de esa ninguna parte, salpicamos las
conversaciones de texturas regulares y de periodismo,
de casas, de parques, y salpicaríamos, siéndolo necesario
para la tranquilidad de nuestros contertulios,
incluso de una idiotez o de lo que sea, ese privilegio
del que somos amantes muy pocos porque ninguno
dueño.
Y de conocer a ninguna parte o de haber descubierto
un pedazo de ella en su alcoba no puede enva-
necerse nadie,
que por esto pudiera perderla como también si
le tratase cual propietario.
Y tampoco se le tilde a ninguna parte de mérito
sino de accidente, que no todos los que mayorísimos
esfuerzos
entregan por ella son quienes alcanzan a tenerle.
El estudio no conduce a ninguna parte ni
las oraciones por más que se lo piense.
Ninguna parte escoge a sus beneficiarios como
también a sus víctimas.
Todo lo contiene todo pero no todo es de todos.
Y viajar hasta ninguna parte a recoger de sus
flores para regresarlas hasta acá tiene el
riesgo de no volver. Eso porque no siempre
la entrada es la misma para ninguna parte
ni el retorno es plácido ni por el mismo camino.
Si estando adentros de ninguna parte por equivoca-
ción
se cierra la puerta, tendríamos que pernoctar,
por si la claridad relativa de ninguna parte
nos permite al próximo día levantarnos

para asistir al instituto, o para proseguir los trabajos
de la madera o para relatar lo acontecido.
Pero una pernoctación puede llegar a ser más dura
que durísima y hasta mortalmente intolerable.
Y dos pernoctaciones seguidas pueden convertirnos
en involuntarios videntes de semejante paisaje.
Entonces aunque todo se tuviera nada se contendría,
hasta no tener por siempre otros que esos ríos y arbus-
    tos,
mas en la invencible soledad de nosotros mismos,
atravesados el pecho y las manos y los mismísimos
ojos de ninguna parte, sin posibilidades de correr
hacia nada.

PROSA

Mientras no haya terminado el fallecimiento del jardín en nuestros ojos ahora que atardece pero que no
es del todo de noche, aunque la oscuridad nos tiene
encubiertos como por una protección de blandas
cápsulas, seamos leales a no dejarnos contemplar en
los ojos de un observador indiscreto, en el lente de la
memoria que opera como una cámara. Principiantes
en una cifra rellena de cantos verdes, arrebatados
por la intención enterísima de una locura que nos
desposeyese las sandalias, el cinturón y las ropas, angustiados de no acabar de experimentarnos el pecho,
de intercambiarnos el aroma a esta hora inexacta para despedirse, mientras aún no es de noche pero nos
encontramos solos. Enfrentados al vértigo espeso del
cuarto que nos reclama, a la tibieza infinita pero re-
pasada infinitamente que nos espera en otra región,
luego del primer traje amistoso y mordidos de fiebre

por el primer intercambio, ya todo es imposible, ya lo demás quedó vacío. Sin temer a los resfriados y en postura de apareamientos, con alguien de otra parte en diversos lenguajes nos hemos dicho fragmentos de amor en el agujero de una cita de muerte, conversadores en apócrifas y doradas sonrisas de origen nebuloso. Pero mientras le añada la noche a su nombre desconocido y al desconocimiento propio que ha de tener ella de mí, y no hayamos certificado el final, no debe interrumpirse la intención de que soñemos, que aunque sea falsa siempre es noble, pero no del todo oscura.

(Inéditos)

HOMERO PUMAROL

POEMA

Me muerde
no me mira a los ojos
para quitarme lo mar-habido
en tardes de Whitman o Pessoa
que más le da
intocado deja lo inmordido
porque le ajena un espacio indiferente

No termina
salva el instante
no me traga último
no pretenciosa engulle
tan sólo muerde
tan sólo muerde
viciosamente
viciosamuerdeviscosamuerte

Se me esconde dentro
mientras me muerde
se me espeja en la risa
mientras aprieta el diente

No me traiciona
me muerde
no me vence
me muerde

no me quiere final
sino mordido inmediato

Eso
me muerde la mordida
mordidamente me muerde

(Inédito)

MARCOS PÉREZ RAMÍREZ

ALEJANDRÍA

> ...and gather me into
> the artifice of eternity.
> W.B. YEATS

Todo lo presente puede tocarse.
Pero la distancia también sabe hablar
y penetra en estos lugares cercanos,
donde sólo un dedo mío
toque quizá la última lluvia
determinadora de toda montaña.

Aquí el futuro no se crea.
Duele un pasado con aroma de polvo
violáceo y muerto.
Aquí la historia sabe a una música
de tierras jóvenes presentes en milenios
de un tiempo ausente de rostros.

Mira las barcas y hablaremos de la muerte,
mientras, contemplo esa rueda que sólo aquí
puede girar encontrando que moriremos
como la mano descubierta de alguna esperanza que
    se fue
y que será.

Dime la dirección del viento para reconocerme;

tu nombre vendrá con el próximo sol,
y seguramente,
sin querer,
ya nos habremos ido.

APROXIMACIONES

> Morir es tropezar con esa suprema
> desnudez de la carne…
> EDGARDO RODRÍGUEZ JULIÁ

I

Cerca de la muerte está la muerte.
La luz regresa a su relicario de cobre
cuando faltan los anillos acorralados del espacio.

Falta el aire que atraviesa la garganta como un cu-
chillo infinito.
Falta la manecilla ajada por la ciudad y su bahía.
Todo reposa sobre el polvo náutico del tiempo.

Mas en el cielo los nítidos pájaros de la memoria te
    reconocen,
toman tu brazo y median por tu sombra.

II

Cerca de la muerte somos los mismos que rechazamos
    las páginas
de este libro intruso que ignora sus capítulos
encontrando en Donne la respuesta al otoño continuo
    de los pueblos;

somos el alma amorfa de esta cifra resuelta en su lec-
    tura,
la muerte cerca de la muerte.

LAS FRONTERAS

Todos somos la frontera,
esa línea clara donde arde el blasón
entre las cenizas fundacionales,
el ejército victorioso que alcanza el triunfo
entregándose al fondo del dolor,
el ejército vencido en el presente
que se encierra en la promesa del futuro.
Y es un regreso a la prisión,
un ir y venir de mujeres que cargan con niños en sus
    espaldas.
Porque atrás quedan los valles que conocemos al nun-
    ca recorrerlos.
Y la promesa de una fruta mordida que encierra el pa-
    raíso perdido.
Sólo así es tuyo el presente con sus líneas de fuego en
    largas manos,
y mía la bahía y el recuerdo mientras el tiempo es
    nuestro.

Ahora, rápido,
allá los puentes cruzando los ríos que somos,
allí los árboles ardiendo en las raíces de lo ignorado.
Otras patrias con sus ciudades,
otras costas perdidas en la melancolía,
el mismo cielo.

61

Abre la chalupa el océano.
Allá, la patria abandonada,
La ruina del pasado en la palabra.
En el horizonte: otra isla.

Ruge la mar embravecida.

El violento mar ya no es origen,
Sino fin posible agotando su presente.
Hace frío.
La chalupa se desborda en un río de vómitos,
Gritos,
Llantos.
El horizonte es el aquí, el allí,
Aquél es ahora,
Inmediato
Como el infierno.

Un hombre ha sido lanzado a las aguas infectadas,
El mareo ha suavizado su carne
Y la barca no conoce aquella ola donde termina su
        devenir.
Una mujer y una niña entre las aguas.
Piensa Sócrates:
En una orilla un hombre deja mis dineros en un par
        de piernas,
Seguro sonríe.
En otra orilla me espera el oprobio, la ley de extran-
        jería.
Sócrates accede por fin al misterio.
Una salada sombra consume su omnisciencia.

TEMA DEL AMO Y EL ESCLAVO

(Port au Prince, Haití, *circa* 1989)

ESCLAVO

Argamasa del suplicio es la cadena,
El misterio de mi cuerpo es mi condena,
Cuando se aleja la tierra con sus luces
En la batalla concluida por el viento.

Y he aquí los trabajos de la silueta,
La escritura de mi nombre en el sudor,
El deseo de una muerte acompasada
En la profecía de mis manos desatadas.

No hay dios posible,
Porque de amargos amoniacos han llenado mi boca
Al colmarse las ajenas horas de mi frente.

Otro sonríe,
Sí, patéame, reza con solemne semblante
Y esgrime la rosa de la burla en diestro brazo.
Cada bofetada es virgen madre de mi furia,
Cada mirada sobre el hombro es dulce flecha de
        venganza.

Ya robo,
Y en justiciero incendio arraso con el trazado de las
        calles,
Y orino en las fauces de tu templo,
Cuando fuga mi memoria
Hacia la eterna libertad de la muerte.

Mi reino por un caballo,
Mis violadas doncellas por todo el oro.
¿Adónde el hedónico goce de la ganancia?
¿Adónde los interminables días del ocio acompasa-
    do?

El fuego se ha posado sobre mis ojos,
Y sutiles llamas consumen mi aposento.
Y es la libertad de Aquel prístino viento del deseo
    acumulado,
Metáfora cástica de la muerte asechante.

Fui buen padre.
Y entre Ellos propagué la Razón Divina
De la Casa Organizada por encomienda del Supre-
    mo
Ahora mi ruina es laberinto de oscuras carabelas,
En este océano de lo incierto.
Unos cuantos muebles y el oro de mi fama es el úni-
    co sobrante.
Todo se fuga,
De ello no hay duda.
Sin embargo:
Mi mano sujeta la herida acicalada
Y predispone mi abierta sed de venganza.
No podrás derrotarme,
Ya he sido tu esclavo en la miseria.
Que mejor es tener la furia acumulada entre los dien-
    tes,
Que perder el silencio en un instante.
Por ello te buscaré allí,
Donde mora tu alma libre.

Soy oscuro recinto de alguna razón residenciada en
    tu intelecto.
Yo soy la muerte
Y hacia mí corres,
cual vil esclavo

(Inéditos)

NÉSTOR E. RODRÍGUEZ

JANO

*Es la cercanía de los espejismos
lo que nos hace inmortales.*
ARIEL FRIEDA

Sobre la sombra única
el debate de dos rostros:
el uno agota los ardides del conocimiento puro,
hijo de la soledad precaria,
la vela
y la vasta biblioteca.

Las huellas de la mano le han revelado al otro
el sentido previo a la idea del tiempo.
No son para sus ojos
carne y fuego
verdades distintas,
sino una sola.
La misma de la noche repetida,
los silencios y las voces.

El uno cuestiona su imagen libresca
de ampulosas redes adjetivas.
Es uno su cuerpo,
como uno el gesto que lo abriga.

Vence la vigilia.
Contra la pared,
como atávico reflejo,
el otro torna a soñar.
Sabe del aire conocido por sus padres
y de una extraña palabra
gemela de muchas otras.

El doble murmullo.

Es de cal el lienzo y la certeza
de una sombra sola
que el reflejo desdibuja.

La voz germinada.

Sea la cifra que se escinde
junto a la opacidad del reflejo
la indudable marca,
una frágil seña perfecta.
Ella se niega a referir ambos nombres.
Queda por testigo el parco eco del silencio,
esa continua carencia que no olvida,
y un camino dividido que se expande,
y una secreta promesa que vacila.

El instante precisa un motivo irresoluto,
Jano ensaya su contorno.

PROMETEICO

Por este mundo en blanco
se conjura cada víspera

67

una suerte de reencuentro.
Cauto se detiene el aire,
el linde avieso principia los rumores.
Observa el espacio una lejana exigencia compartida.

Dónde encontrarse con el tedio bajo los párpados
es un lacónico reparo de promesas
dispuestas ante la espuria silueta de la muerte.

¿A qué esta farsa de agonía?

Fuera el prístino hacedor
y a volverse tornarían
las fauces del apócrifo fingidor de notas,
minúsculo impostor,
famélico oficiante.
Ese inquieto signo
curtido de rigores:
la palabra,
pide se le presente de sus nombres
el más certero,
el apenas insinuado en lugar alguno.
Luego el silencio.

Por este mundo en blanco
algunas cosas quedan:
una línea arcana,
un aire,
el reparo de la tinta obsesa con el fuego.

RAZONES DEL MIEDO

> ...*si estuvieras aquí, si vieras hasta*
> *qué hora son cuatro estas paredes.*
>
> VALLEJO

Las manos son al yeso
la casual prestancia,
luego son Dios.
Pero el tiempo que sujeta la demora
y artificia, con la arena de las horas,
el curso fiel de los abecedarios
seguro ha de suplantarme,
inevitablemente habrá de confundirme
como el que más
entre la turbamulta lívida de los instrumentos.
Algo de distancia
habrá en el filo de las formas
que las vuelven insondables.
Un quién sabe qué de lentas figuraciones
agotando la llaneza del suelo
sin el menor espanto.
Deferencia debo a estas paredes
en su gesto de límite baldío.
Sucumbir ante la inmediatez de tal visaje
es saber del miedo y su razón,
que nunca es sola
sino la indiferencia,
la gris certidumbre de llegar hasta aquí
sin plan concreto
sin orden ni concierto
que defina el avance o retirada
de esta ciudad menor,
de este jardín hostil

que todos llaman mi habitáculo.
¿Presagiaré el escarnio de sus pliegues?
¿Maliciaré la conjura de este cuarto
en que se templan los augurios
con el silencio de lo intacto?

(Inéditos)

ANDI NACHON

TAPÁME LOS OJOS

Tapáme los ojos:
hace frío detrás de las ventanas y este sábado
el invierno se disuelve entre nosotros. Da vértigo

Tapáme los ojos. No sé
qué hacer con este frío sobre mi cuerpo
algunas noches, reconozco
esa marca detenida en mis muñecas:
signo
que mostrar orgullosa levantando los brazos: "Esto
han hecho con mi cuerpo." Así
como un refugiado muestra
sus dedos sin uñas y eso
se vuelve su último orgullo. El tuyo.
Da vértigo, el frío recortando cada objeto. Entre no-
    sotros

Llega otro invierno. Una papa
humeando en un cacharro de metal –para ver
desde allí– los ojos del amo:
tapáme la cara

mirando hacia adentro,
hacés té y leés
tranquilo al calor de lámpara
afuera

el invierno golpea, no sé
qué puedo decirte desde este puerto: "hizo frío
y el día se extinguió lentamente —casi— sin dolor".
    Ahora
se dan vuelta los ojos y sube el vértigo, cubrirse la
    cara
tapá
este frío de refugiada que mataría
por el calor de una papa. Cuerpo

helado al costado del camino
—el mío— frente a una linterna
encandilada, para gritar: esto
han hecho conmigo. Mientras la noche
profunda se instala y corren
suaves gotas sobre las ventanas. "No,
no deberíamos ser apacibles."
Ahora:

ojos volcados hacia adentro
como quien dice —levantando los brazos—
"hagan
lo que quieran con este cuerpo", en medio del invierno
vos leés al calor de la lámpara y esta noche
se instaló suave, prácticamente calma.

COMO ANEGADO

Campo anegado se disuelve fotograma a fotograma
fragmentos de imagen, donde agua y tierra
forman un reflejo.

Llueve

cuando un tren cruza planicies mojadas y vos
no estás a mi lado ni detrás
de estos ojos para ver

en cámara lenta. Este tren se
desliza, tiemblan
piernas dedos aferrados a un cigarro
warzsawa

dijimos hablando de estepas y viejas polacas
deglutiendo papas

yo esa gorda
de mejillas coloradas quemándose la manos
quemándose
ojos, que buscan esperan
una clave en esa imagen vos
no ves a través de esta cámara:

los postes se suceden y caen mientras mi tren avanza
mimbrerales de metal donde unas vacas
estáticas quedaron en el lodo, sus ojos
encerrados buscan
qué clave del paisaje.

Barro

se extiende hasta rieles vigas
contienen espacio tiempo
trayecto a cruzar. Afuera
una tormenta se abre a tu mirada
bruma
instalada en límites de álamos
aire que contiene

mi cuerpo y exhala ahora
no estás a mi lado no sé
qué verías desde este tren.

Temblor instalado en cada objeto
manchas de grasa se confunden
sobre vidrio contra niebla.

Espacio

una lluvia sólo abierta a tu mirada cómo
te digo ahora
tarde rosada una soga
donde tu camiseta recién lavada se deshoja
viento invernal esa pick up
perdiéndose en un campo mojado.

(Inéditos)

GABRIEL PEVERONI

A LA HORA SEÑALADA

/Al borde de la cama siento el riesgo
hay cigarrillos que se encienden la blusa tu respiración
agitada algo me recuerda/

DETRÁS DE LA ESCENA

/Tus dedos crispados erizan mi piel de invierno
en la próxima escena el asesino viste de blanco
soy yo y ella espera desnuda impregnada de humo
el último trago el oso de peluche
el play pulsado la foto de marilyn
el cuchillo filoso en escena la última
pitada que hace olvidar el libreto olvidar tu respiración
agitada nuevamente me recuerda algo/

ALGUIEN GRITA: ¡CORTEN!

/Respiro ahora olores exquisitos
de utilería descubro algo la femme entró en el fuego
ya se habían tirado los dados alguien miraba curioso
era el director mis ojos seguían filmando
todo en la escena del juego/

(*Trashumancia,* Guadalajara, núm. 21, sep.-oct. de 1994)

LORENZO HELGUERO

XXII

> *...mata la indiferencia taciturna*
> *y engarza perla y perla cristalina*
> *en donde la verdad vuelca su urna.*
> R. DARÍO

Poeta, sigue los serenos sones
de la palabra que en adusto origen
bebiste en los simétricos pezones
que con exacto número te rigen.

Poeta sapientísimo, descubre
—es carabélica tu lengua— y saca
la palabra lechosa de la ubre
de alguna gorda y rutilante vaca.

Entonces continúa con la farsa;
desenfunda el compás, mide y engarza
una perla, otra perla, y otra perla.

Y acude sin temor a la retórica,
que la palabra es válida en tu boca
si gozas en sentirle y en comerla.

(*Sapiente lengua*)

¿Quién no conoce la fotografía en la que Vallejo apoya su cabeza de cerámica a medio tostar en la mano pensativa, si es tan común ver este retrato en los colegios públicos y en los anuncios publicitarios de determinada marca de cepillo para el cabello?

Los que han leído el nombre de César en un crucigrama, de seguro han contemplado la cópula ferroviaria de sus botones. Los que durante noches han esperado a que la luna caiga como una piedra sobre una caravana, han señalado con índice de monja las arrugas europeas de su pañuelo. Aquellos que han arrojado Trilce tras el hombro derecho como si fuera una herradura, han admirado la turgencia de su sortija y el bastón con el cual el buen César golpeaba a sus imitadores y a los prestamistas. Pero sólo aquellos pocos bienaventurados que han contado de par en par la blancura de sus propios huesos, han tenido la ocasión de observar a Cesítar —lo digo así, fraternalmente, sin pensar siquiera en el uso escasísimo del infijo en español— apoyando graciosamente el pie en un peldaño, como si estuviera a punto de meterle un cabe a alguien. Sólo esos pocos lo han visto acompañado de una mujer que llegó en paracaídas desde Georgia o desde quién sabe dónde con un sombrero de astronauta.

Lo que nadie, sin embargo, pudo saber, es que ese día Vallejo regateó con el fotógrafo más de media hora, que éste se zambulló en su máquina como una avestruz y sintió que algo le caminaba por la oreja, que en un árbol un pájaro piaba sin motivo, que a tres cuadras de ahí Lucien Michaud, comerciante de telas, pensaba en su esposa muerta y en un viaje a

Turquía, y que, silbando, yo esperaba con un boleto de ómnibus en la mano a que Vallejo terminara de posar para el futuro, con la finalidad de que me diera un autógrafo; silbando, silbando, temeroso de que me pegara un bastonazo.

(*Boletos*)

EL PUENTE

Un río.
Dos países.
Dos culturas.
Tres culturas.
Tres montañas, tres banderas.
Tres guerras, tres opiniones, tres soluciones.
Cuatro rumbos.
Cuatro caminos, cuatro puentes en el río.
Cuatro turistas cruzan el puente.
Cuatro mexicanos muertos con una pistola 45.
Cinco policías cuidan el puente.
Cinco huérfanos.
Cinco amantes, cuatro esposas, tres hijas
       y dos hijos/huérfanos en un solo lugar.
Cinco mojados esperan.
Son las cinco.
Cuatro estaciones de radio.
Cuatro turistas regresan borrachos.
Cuatro pesos cada vez que abres la mano,
       si trabajas/en el puente.
Cuatro por cuatro, por cuatro por cuatro;
       se multiplican/las maquilas.
Tres pesos ya no son un dólar.
Tres toneladas de coca confiscadas en el puente.
Tres hombres detenidos.
Dos catedrales en la plaza.

Dos cholos riñen por una virgen.
Uno muere.

(*Fronteras,* México, núm. 1, primavera de 1996)

MONSERRAT ÁLVAREZ

EL ÁGUILA

Algo huele hoy en mí el perro, pues me ladra,
y en el ajeno cuerpo de este desconocido
niño tiembla el recelo. Oye:
es mejor que te vayas. Nada puedo decirte.
Hoy mi voz está helada del viento de los astros, y
      no sabe
del aliento de los hombres.

Yo sé que temes, niño, mi alma de azul granito,
mi solemne plumaje, pompa fúnebre.
Es mejor que te vayas, niño: yo soy el águila
más sola de las cumbres, y podría
devorarte, o no hacerlo.
Es mejor que te vayas.

LA VERDAD

Por la Libertad ni siquiera
los goces de la esclavitud sacrifico
Por la Justicia ni tan sólo
el placer de la injusticia entrego
Por la Verdad
entierro mi nombre cavo mi fosa
A la muerte doy lo que más amo
Bebo la taza de veneno

Diariamente expío mi culpa de existir
limpiando pisos hasta extinguir mi vida
Diariamente pago con dolor los placeres
y el dolor con dolor
Aquí nadie me mira —por desprecio los más,
los menos por vergüenza—
Sé que tengo derecho a existir sin dar cuentas
a nadie, tanto como los perros
que corren sobre el bien cuidado pasto
que no debo pisar (como si los señores de esta casa
y todos los señores fueran dueños del pasto,
como si para ellos y sólo para ellos
amaneciera el sol, diera la tierra frutos)
Sé que también por mí las flores se hacen carne
y mi sed es tan grande como la de cualquiera
Sé que también por mí sale el sol cada día
y su calor me alumbra tanto como a los otros
Me ordenó la señora esta mañana sírvenos la co-
      mida
Yo nada respondí sólo quedé mirándola en silencio
Y pude oler su miedo
Me ordenó la señora sírvenos la comida después co-
      me la tuya
Me ordenó vive muévete como respira duerme
Yo nada respondí pero empecé a quitarme el uni-
      forme
Adiviné mi voz en mi garganta alta y potente como
      jamás la tuve
La adiviné capaz de treinta carcajadas sucesivas
—yo, que nunca he reído fuertemente—
Y no tuve vergüenza de mi cuerpo desnudo

Salí a la calle sin llevarme nada, abandonando todo
   como un lastre

Ya no obedeceré órdenes de nadie

(Zona Dark)

MARTÍN GAMBAROTTA

PSEUDO

1/

Me paré delante del río.
Lo miré fijo para ver
si tenía algo que decir.
No dijo nada.

Cuando se acabe la merluza,
los ajíes, el té amargo, nos vamos de acá.
A cualquier lado. A las plantaciones.
A un lugar donde no existan tenedores.

2/

En memoria del pescado frito:
este vaso de

y los datos, las noticias:
la casa está llena de mosquitos.

No hay que matar
un cuatro con una sota,
no hay que tenerle
miedo a la pelota.

84

Vodka. Vodka con coca,
vodka con fanta, vodka
con cepita, vodka, sal,
limón, vodka con sprite,
vodka con pepsi, una bañadera
llena de vodka, vodka solo, vodka
de nombre Ruso destilado en San Luis.

Las horas de cuero.
El narco silencio.
Se viene el mes que viene.
Se mueve el muelle.
Se acaba esta botella.
Se termina la felicidad.

3/LO QUE TODO JOVEN DEBE ODIAR

Holiday on Ice, el manifiesto de Londres
transformado en una parva de boludeces,
ultimatum para los grones, la luna de día.

Inercia: de la
orilla limpia
a la orilla sucia.

Corrección.
Lo que todo joven debe odiar: Dylan,
sourverniers del edén, tormentas de luxe.

14hrs
adentro
x tener
el pelo largo

Corrección.
Lo que todo joven debe odiar: McLeish,
Cuba Libre con hielo, la indi-
visibilidad del ser.

2.5 meses
en Olmos
x tener
3 grs

Corrección.
Lo que todo joven debe odiar: Dementia
Precox, el monopolio de la cerveza, arena en la
     cama.

Siberianos
en la playa;
la arena les debe
parecer nieve.

4/QUE NO SE VEAN HEBRAS EN EL FONDO DE TU TAZA

El té se toma oscuro y en taza chica.

Los ingleses no saben tomar té,
le ponen leche y azúcar para apagarle
el gusto asiático. A malaria.

Lo toman tibio a la noche
con bastones de pescado frito
y no antes o después del arroz.

Una cosa te digo:
que no se vean hebras en el fondo de tu taza,
y que no te escuche decir que perdiste
una herramienta en medio del trabajo.

Escuchar música
todo el día, todo el día
quiero y trabajar de noche,
un trabajo liviano pido
cuidando plantas
en un vivero (del
otro lado de la vía)
donde uno se pueda
sentar en una casa de vidrio,
un invernadero,
a sacarse de la cabeza
el zumbido
de la dignidad.

5/LA MÁSCARA DE UN SOLDADOR

Pseudo dijo: la sal nos tiene de hijo.

Discos mono. Nada late en estéreo.

Un parlante alcanza para lo que hay que escuchar.

En la tarde monosilábica: es una
la llama que escupe tu soldadora.

6/MIS AMIGOS ME TRAJERON UN ESCUDITO DE SAN PETERSBURGO

Una cosa es sacarla
y otra usarla.

Una cosa es decir
helechos que crecen de la pared
y otra cosa es tu chica
con zapatos de hombre.

Y otra cosa son plantas
que salen de la pared.

Lo pusieron en una balanza.
Dijeron que era más chico de lo normal.
Y era el cerebro de Lenin lo que estaban pesando.

7/

La foto de una Montonera con el pelo en la cara.
Perecía Elektra en trance después de,
no sé lo que hizo Elektra exactamente.

Si tenía una banda de espías en Jonia, no sé
si era la reina de los pescadores, no sé
la ideóloga de la tormenta, no sé
si desayunaba pizza fría con las compañeras, no sé
si se hacía nebulizaciones antes de colgarse el fusil,
    no sé.

Volviendo a la Montonera
la única manera que su foto

aparezca en el diario
es si está muerta.

A rezar el padre nuestro,
a salir con lo puesto,
a ensillar los caballos,
y después a la riña de gallos.

Es tarde.
El cielo oscuro: lleno de boyas.

¿Que de dónde saqué esas frases?
¿Que dónde estuve? ¿Que si es verdad que Elektra
mató a su padre? Qué clase de preguntas son ésas.

(Inéditos)

JUAN JOSÉ DANERI

ESCULTURA

Despejar la mirada
Encarar una vez más
El recuerdo vivo

A fuerza de golpes
El olvido perfila la memoria

HERNÁN LA GRECA

SILVER SURFER

Voy vestido de Apolo por la casa. El cuerpo,
una amenaza elegante.
Perdí parte en la embestida. Es
una quimera el dato de mi especie.
Soy un escapista del amor, desperdicio
el alimento con un gesto.
No hago de mí, si no te tengo.

A veces, la tarde llega como un sueño
de héroe de historieta. Cuando salgo
a correr olas con la tabla, me sigue siempre
esa espuma, rumor brumoso de olas al acecho. Colas
de novia sobre el mar. Un llanero blanco
y su caballo de agua.

Sabe mi madre que pierdo el sueño por las noches
pero ya soy grande, dice y los grandes
suelen estar despiertos hasta tarde.

Ella vuelve a menudo a esta playa
donde se ahogó su hija. Piensa que el viento
en la cara le da fuerzas y cree ver sobre la arena,
desalineadas como chicas lindas,
las sandalias de mi hermana.

Las olas están llenas de esos cuerpos
que llevan trajes de dos piezas y se entregan
de la mano al vaivén de la marea. Deliciosas,
con el pelo hecho de agua, una flotilla
de novias dice: ahora me ves, ahora no me ves.

Mientras sorteo cuerpos en un mar
donde no hay nadie, vuelven siempre aquellos años:
el pecho entero como un lirio y el corazón
superpoblado.

Yo era guapo, feliz por esos días. No sabía
que el amor va en un murmullo
y a dos vocales se resume
el antiguo enigma de los géneros. En fin
un muchacho acostumbrado
al sustento de los ojos.

Nada saben mis padres de esas tardes, no ven
el llanto acumulado en la rejilla, ven un resto
de agua que resbala, un charco
crecido bajo el traje de neoprén. Es mi deber
mostrarme calmo en la rompiente.

SIRENAS

Me muevo por las olas bajo la tutela del agua.
El mar es robusto, disciplinado, repite
lo que sabe: una morosa insistencia en el vaivén.

Voy hacia lo hondo, la espuma se interrumpe
con el tacto de la mano, una glauca plenitud.
El plexo toma aire, se agiganta. Apura el justo

escandir de la brazada. Las piernas laxas.
Distante, como un medallón de proa
la rígida cabeza. Coartada que se hace
en torno de una tabla
que por sola voluntad del mar avanza.

El cansancio llega todo junto, bajo la forma del do-
     lor
o del soplido. Tras el remo: esfuerzo y precisión de
     la rompiente.
A lo largo de la tabla, con los brazos abiertos
un cristo boca abajo, un redentor horizontal.

Desde la playa, un ramo de sunglasses
escruta el brillo, la falta
del que nada en agua helada.

Hay comunión entre mis brazos y la trama
de ese líquido. Sólo se agita
lo que sobra, el corazón en el brumoso
dominio de la espuma.
Bajo la tabla, el mar es un latido
cuerpo dormido en el linaje de las olas.

Sentado a la espera de la onda
que me lleve hasta la orilla, pienso: hubo alguna vez
sirenas, en el doméstico mar de la bañera.

El paisaje es ahora este húmedo puñal.
El horizonte, entero, una de sus caras.

Fino estandarte que se arquea
solo en la cresta de la ola, soy,
afuera, con la fría tabla bajo el brazo,

un muchacho y su amada inerte;
llave en cruz que un viento más
o menos ágil puede
llevar al suelo, con peso de plomada.

(Inéditos)

GLORIA POSADA

ÉXODO

La noche
mi habitación

después
voy por el día
como un peregrino

CIUDAD

Bajo este cielo sin estrellas
el desarraigo
es nuestra única
pertenencia

UNA MUJER LLORA

Una mujer llora de sed
en el desierto

Un hombre se sacia
con sus lágrimas

La mujer muere

El hombre bebe de su sangre

El hombre tiene sed

Un hombre llora de sed
en el desierto

Para calmar su sed
un hombre bebe su sangre
en el desierto

El hombre muere

La arena se sacia.

(*Oficio divino*)

SANTA LUCÍA

No sé
Dónde se encuentra
El ave rapaz
Que crié
Para que me arrancara
                    los ojos

Tal vez
No me amó

Lo suficiente.

JUANA

Heroína en Francia
Bruja en Inglaterra

¿Quién eres
    sabia niña?

Campesina
Santa
Guerrera
Bruja…

Aras la tierra
Hablas con Dios
Levantas la espada

Mueres
En la hoguera

PENSAMIENTO CONJUGADO
EN ALEJANDRA PIZARNIK

Desde el alba
tu cuerpo está quieto esperando
                          los crepúsculos

Vengo a recoger
el rocío que pende de tu boca
Vengo a peinar
tus cabellos volcados en raíces
Has querido pequeña niña
pertenecer a los jardines

97

La tierra ha chupado tu cuerpo
te han desangrado las rosas

Y hoy vengo a comer tu fruto
y su último rocío.

ERÉNDIRA

Ellos preguntarán
Por el lugar
De la desolación
Y señalarás el desierto
Y como sinónimo
Tu lecho.

(*Vosotras*)

MALÚ URRIOLA

LOS GATOS DE JAKOBSON

a Nadia Prado

VIII

¿Tú conoces mi locura?
qué va, pendeja
ni siquiera los gatos
porque apenas cae un poco de sol
corren a enrollarse
a dormir la estupidez de la bestia
debiste arrancarte las costillas
a nadie le importa
el maldito lloriqueo
de una poeta de mierda
no hay que confundir las cosas
la gente, ni los gatos
porque los gatos no son sino
un atado de sinfundamentos
porque vives amarrada a tu home
piedra rodante
y ruedas del living a la cocina
de la cocina al techo
bailándote un rock
hasta que te salten las nalgas
estás sola pendeja
porque te agarró el hastío

qué más quieren que les escriba
ni siquiera lo leen a fin de cuentas
los poetas sólo existen en la mente de los poetas
se fueron los días, malú
se fueron relejos
se fueron del barrio
VIVA VENECIA LIBRE
y la marihuana acabándose en las chimeneas
lo mío era mío, ya no hay que hacerle
y me engaño pensando que los gatos
volverán algún día
a poblar los techos.

X

Hey, malú, asume la vida de gato
que te toca saltar de techo en techo
porque ni siquiera un poco de sol
los hará volver
porque no nacimos para dar
pero tampoco para recibir
hay que asumir el costo
te estás chalando
nada te llena
y el hastío te agarra de espaldas
por eso le seguimos el juego
a los imbéciles
y corremos en esta carrera de equinos
de mala sangre
cuando el poeta canta su bar cécil
y Dios le guiña un ojo
y por el otro le cae un goterón de tinto
de aburrido tinto.
Hey, malú, nace una estrella

100

nadie quiere el nobel
pero se mueren de sólo pensarlo
los poetas se odian
toman juntos pero se odian
a quién le importa
que se maten
que se tengan pica hasta la muerte
total, de todas maneras
no tenemos quien nos abrace
porque los gatos se retiran de noche
quién sabe dónde.
Hay que asumir, pendeja
que estás sola
que te bailas un rock
para quitarte las ganas —tú sabes de qué—
porque de tanto perraje patriarcal trompeteado
estás hasta la tusa
y ellos siguen tirándose a partir
prejuiciados
amablemente discrepantes
hey, malú, una raja, que te importa
si ni siquiera encuentras algo que te importe
por eso callas y luego ríes
porque nadie te llena el hoyo;
ni el vino
ni los machitos
ni mirar sus traseros sin forma
no te queda más que caminar borracha
y llegar borracha a tu home
piedrita mendiga.

(Piedras rodantes)

Acerco su mano a mis labios, beso su palma; ansiosa de estrecharla contra mi pecho, desabrocho el corpiño, tiemblo, desesperada, respiro en los brazos de esta pasión violenta, que parece ponerme en peligro de morir. Viva y ardiente agitación, me despojo de mis ropas, como quien se despoja de sus huesos.

Luego, estando a solas en la habitación, nos acercamos, yo y la escritura, besándonos en las heridas, acariciando con los labios, la propia sangre.

Esta pasión está creciendo como si fuese un virus, escucho los quejidos del cáncer, me fui destruyendo en otros, para que la escritura no me destruyera, como si esos pechos fueran una daga donde pudiera abrazarme.

Entonces la sangre se fue enfermando, creó a sus propios victimarios.

Ya no tuve fuerzas para moverme.

***

Ya no puedo más, todo cae dentro mío, no sé mirar más que a la ventana, como si mirara mis propios ojos idos, perdidos en un laberinto de dudas y permaneciera sumida en una niebla espesa, estoy mal, cada día peor, no sé si algo pudiera sacarme de este estado permanente, de dolor sordo y mudo, quisiera romperme en llanto, sin embargo ni una lágrima cae de mis ojos, ni un grito sale de mi garganta, tal vez permanezco en un estado de shock, estática y fría ante mi propio dolor, que gime en mis huesos cada vez que suelo moverme.

***

Ya no recuerdo el rostro, apenas vagos saludos al ausente, apenas unos ojos que interrogaban mi presencia, unos gestos de afecto, unos brazos acariciando mi espalda, unos jeans, una camisa de seda roja, el movimiento de los pliegues que el aire acondicionado ponía en la camisa, la voz en el teléfono, llamándome por mi nombre, como si me hubiese devuelto mi propia esencia. El recuerdo es tan frágil, tan quebradizo que temo haberlo delirado, y despertar ahora con una soledad indescriptible, en la fiebre que desvaría, accesos de fiebre, que mi cuerpo en su invalidez prepara, para mantenerme viva, ahora que lees una breve fracción, del espejismo que la falta de agua me ha proporcionado, podrás saber qué pensaba este rostro duro, mientras acariciaba sobre la tela, tus piernas y me arrodillaba para contemplarte hablar.

***

Algunos meses, algunas semanas pasaron, algunos días, algún tiempo, no lo sé, aún escribo incorregiblemente, ya no puedo parar, mi corazón entorpece todavía más las palabras que mi recuerdo no alcanza a retener, todo sucede tan rápido, sólo retengo pequeños, incesantes contenidos, siempre termino negándome a las palabras, harta, sin que el sonido se registre más que en los torpes trazos que mi mano escribe mudamente, los labios apenas mueven sus músculos, este aparato animal, en el que conservo dientes y colmillos sanguinarios, apenas vestigios, de mi entera bestialidad, devora palabras, gestos, el amargor de la saliva, el humo de los interminables cigarrillos. Es parte de mi condena, llevar este cuerpo debilitado por los años, cansada, es el territorio que el agotamiento conquista, no siento sino un hueco en el corazón, una trizadura, marcando en mí una línea frágil, cortante, que puede producir el seco sonido del quiebre, la certeza de que la trizadura al más leve tope, fragmentará en cientos de pedazos el trozo de carne, que el ritmo de sus golpes cesará con apenas un gesto, una tensión en los labios.

Recuerdo, o ya ni recuerdo, pensar, palabras cubiertas por mentiras, o el vino, o los efectos del vino, apenas recuerdo, qué hay aquí dentro de la cabeza, que por más que la muevo, los recuerdos no se arman, recuerdos, apenas fragmentos de la mirada, es eso, lo que me separa de la imagen completa, la de afuera aburre, mediocre, habría que poseer aptitudes de mártir, para escucharla todo el día, la de adentro marea, marea de tenerse contenida, hordas de palabras rebotando dentro, la someten, eso, sometida, sometida a caminar, la calle que tome, tiene los mismos y horribles paisajes, por eso salgo, prefiero la noche, entonces son sólo luces, un escenario más, sentirme vieja, no tener ganas de seguir, contar lo que llevo, y parar un taxi para volverme, derrotada siempre por tantas palabras, que me repito constantemente, las palabras me confieren esta derrota, enfrentada a lo que siento por mí, a ésta, la que ve detrás de mis ojos, como si estuviera esperando salir por algún hueco, eso, consumida, parecida al triste fuego en el cordón de la vela, que se ha ido consumiendo por el centro, pareada, rodeada de una pared que duele si la toco con el filo de algo que me vacíe, ya no recuerdo otro estado, desde niña, recuerdo, caminaba pensando por los rieles del tren, no tengo certeza de lo que podría haber pensado, sólo recuerdo el ejercicio, pensar, pensar, hay un afuera tan grande, calles largas que se cruzan con otras calles, y sin embargo, adentro, sitiada, sólo conozco algunos vagos lugares, algunos rostros, algo que me mueve, que me empuja por las calles cuando camino, pero adentro estoy quieta, inmóvil, nada hay afuera que me sorprenda, y sin embargo, cuando me veo en tus ojos, pareces contenerme, yo parezco vaciarme en ellos, ellos parecen el lugar gris donde puedo desembarcar algunos de mis trastos de abandono, cuando acaricias por debajo del pelo mi nuca, y siento esas manos acercarse, me igualo en la conjunción de las pieles, paredes, eso, es como si acercaras la boca a mi pared, no es mi boca lo que buscas, es a mí, es a ésta, que yace encerrada tanto tiempo, eso recuerdo, la mirada, la iluminación gris de la mirada, en que presagio mi triste fraude, no esperes nada de mí, no te confundas, apenas recuerdo, pero es esa alusión al recuerdo, mi esperanza de vida, muevo mi cuerpo y digo: ahí está el recuerdo, puedo sentir su extraña forma, ficcionar los contornos, especular, imaginar el cuerpo del recuerdo, adecuar sus rasgos, tener la seguridad que frente al recuerdo estoy sola, nadie más podrá visualizar algunos momentos de angustia, algunas escenas de dolor, algunas tardes de abandono.

El abandono es mi tatuaje.

Empiezo a morir, como de costumbre, cercena mi cuerpo, un trozo mío gritará desde su charco, todo lo que callo está siendo dicho, los artefactos de mis recuerdos retienen de ti la última imagen, necesito, busco, necesito verte, toco el infierno entre haces de luz destellantes, para ser asida por alguno de tus brazos, no he podido expulsar el parásito que me carcome en lugar tuyo, la complicidad de pertenencia, me he desencadenado al oscuro sentimiento.

Reniega de mí   soy la deuda de mi escritura

(*Dame tu sucio amor*)

LAURA WITTNER

LA CHICA DE LA VUELTA

a P.G.

En pleno, la pandilla de vagos del barrio
sentada en un umbral,
disfruta de la luna.
Una ventana en altos se ilumina.
La pareja se besa,
él mete la mano por debajo
de su vestido de verano.
Es la chica de la vuelta.
Ella también los reconoce
aunque abajo está oscuro
y de algún modo

bajo influencia
deja que se ofrezca el espectáculo.

TE DIRÉ DE QUÉ ESTÁBAMOS HABLANDO

me preguntaba
cómo podíamos mantener
una conversación tan tonta
toda la noche narrando
las proezas de la adolescencia
pero hoy al leer esta reseña

sobre una novela de Ridgway
de pronto lo comprendo
te diré
de qué estábamos hablando:
del amor en habitaciones
tomadas por asalto
del amor cálido y seguro
todavía lejos
de la primer descarga de tristeza.

MIS PADRES BAILAN JAZZ EN EL CAFÉ ORION

No es que leamos mal los signos
Es que las cosas no son signos.
Andan solas, tan sueltas
Que pueden deshacerse.
No bailar la última pieza
Sino la anteúltima
Y la última escucharla
Llevando el ritmo con los dedos
En la mesa de vidrio
No es falso amor.
Erramos si alguna vez
Creímos en esto.

EVERY MOMENT WILL MELT

En el pasillo del tren
las voces cambian de idioma
y entre sueños aprobás haber cruzado otra frontera
como podrías tachar una tarea realizada
de la larga lista.

—y en cada punto titilante hay un amor:
que el mundo esté lleno de amor
tan al alcance de la mano
y sin embargo uno vaya cambiando
de tren, cansado, silencioso,
eligiendo sin mucho pensar un hotel,
un bar, un baño,
una ventanilla a favor o en contra de la marcha.
Así junto con el viento marino y la luz
que cesa ante un túnel para luego
reaparecer, el amor puede también acariciar
entrando por la ventanilla
sin necesidad de separarse de los otros elementos.

(InterNauta Poesía)

SERGIO MADRID SIELFELD

CON PELIGRO DEL TIEMPO

comenzar hoy supone no una perspectiva
no me angustia
me suprime el futuro

antaño lo trascendente aparecía
sin esfuerzo voluntario, numénicamente
escribir era algo realmente fácil
lo obligaba a uno a lograr estados simplemente
drogadictos
ya por vía natural ya de manera verdadera
hoy lo ajeno en uno no llama a la musa
sino que adquiere un real valor

supongo que la poesía no existe
y que por mucho tiempo estuve engañado

no hay nada de qué escribir que no sean las palabras
escritas
empiezo a odiar este trabajo y ése es el único
comienzo

        ***

debe de ser el hecho de haber perdido a la madre
supongo que su regazo es ahora cuenca o azur
al que aspira ilimitadamente la nostalgia

soy padre de lo que amé
y lo que he amado se desvanece
(sobre esto existe un verso genial:
el milagro del amor es no amar nada)

***

el tiempo existe y es presente porque sin duda
el futuro acaece deshaciendo las torres
que elevamos sobre las islas de nuestros
sueños más diurnos
cuando la escritura aparece letal
o vacía de toda llena ánfora
se confunde con un extremo del tiempo:
su dirección

nada sé del tiempo que está por transcurrir
dicho de otra forma
carezco de inventiva capaz de un pre-aparecer
imposible de utopía
el tiempo existe de una forma negadora
y se conduce por la senda de la negación
de su negación

***

voy a la caza de mi olvido
si regreso, por ejemplo, al bosque o al verbo
es para olvidar lo que las naves anduvieron
y soy así con el tiempo de consuno
si el tiempo me pregunta por la muerte
le respondo con el milagro del amor
si me pregunta por la vida
la respuesta no es otra

113

pues no se trata de ser inmortal
ni de ser o de no ser ético
fiel a un principio ajeno a lo que se gasta
a lo que va en detritus con forma de cisne
luciendo el viaje a la orilla
no se es tal vez o se es nadie
el olvido es boca que va sorbiendo los vinos

    ***

me llevo algunos perfumes
me llevo algunos datos táctiles
una imagen que paulatinamente se desintegra
no quiero decir que no nos vayamos a ver más
sino que ahora eres otra y soy otro
que siempre los sentidos te hacen nueva
y que a despecho del tiempo lo que permanece
es de dioses y no cabe en nuestras manos
ya no eres ante mí sino en mí
no me obligo a satisfacer los anhelos
que transforman el instante en eternidad
porque ellos se fueron, lo he dicho
o me fui
una casa del pasado se hunde bajo el poder
de mi olvido

me ayudas a olvidarte para tenerte otra vez
muchas veces te he tenido y eso sólo parece
un siempre
me llevo lo más primaveral
una música tan breve como intensa
unos cuantos perfumes que navegan por el aire
cenizas de jardines cenizas de cuerpo

y tierra de hoja para el jardín de mañana
o el regalo ilusorio de los dioses

EL HÉROE Y EL POETA

es geómetra y dialéctico
es tautológico exacerba la construcción
la guerra al propietario metafísico
de estos territorios

pero es el guerrero no el poeta
quien conquista el territorio y arma
los ejércitos de estirpes perrunas
de ratones con testa de elefante

parten desnudos desde el exilio
como héroes futuros: el principio
es tal vez la esperanza acelerada
el geómetra descubre la medida

¿mas quién es el héroe?

¿aquel que conquista la ciudad perdida
o el que la funda? ¿poeta o guerrero?
¿Homero o Aquiles? ¿quién bautiza
la torre de la simetría?

VISITA DEL ÁNGEL

un sumo bien alterna con el mundo
mi vicio conecta los mundos diferentes
mi mujer no entiende

115

que en ella vi lo mismo que en mi vicio
un sumo bien que toma forma
plena circular salvaje
se requiere de otro para alternar con el cielo
quien ansía azur agoniza en otro cuerpo
se envicia del fino perfil de su mujer
sin haber deshecho el poema

—no llegas al poema sin haber sido joven
reprochado a la ciudad
las cosas que no te dio y no hallaste
el caso es que no fuiste feliz
ignorando el hilo de tu atuendo y tu casa
ahora nostalgias
mañana un sin amar a quien
únicamente sabe ser el ideal
porque una cosa es decir ángel
y otra es tocarlo

UNO DE AQUELLOS

                              que no hallaron camino
se dijo que para entonces
las cosas no iban bien y que en tiempos próximos
daría al mundo una revelación

en tanto—encontraba aherrojos ante sus manos
que se yerguen y juegan con el vacío
las manos que inversamente componen
hacia adentro la forma de un camino

aunque en años próximos podría cambiar
toda la historia e incluso bastaría

116

un pequeño cambio para engrandecer el aspecto
de toda esa vida perdida

(Retaguardia de la vanguardia)

ALEJANDRO RUBIO

PERSONAJES HABLÁNDOLE A LA PARED

La casa abierta, el aire
con olor a repollo hervido. Si me dieran un peso
por cada uno de los días que pasé
esperando en un cuarto de hotel…
No todos fueron así, pero así
se me aparecen: quemaduras en el borde de la mesa,
        la sombra
de la silla en la pared, mirar tranquilo
las motas de polvo de espaldas
a la ventana: y un día igual, otro año,
te llama el chancho y te dice:
Heredia,
Heredia, usted es gardel.
Gracias por todo. Ahora vivo en una especie
de ático o altillo, tres por tres, casi nada me rodea.
Pocas visitas, cuando vienen
les sirvo mate o en su defecto café, hablan y me dis-
        trae
el temblor de la mano entre las piernas, una mancha
en la baldosa; pero lo que de verdad me inquieta
es la decadencia del oficio.

***

Cuatro, seis, doce ventanas
en fila, en el centro, a bocanadas se difunde

algo así como el pozo
de una percepción: pedazos de cristal
sobre bolsas de cemento, antes de empezar
la construcción. Despertarse al mediodía
con los pies sucios y prender la radio
y que un locutor de la contra te diga
que perdimos, perdimos otra vez, eso
es suficiente para estar, a las cinco,
tirados como amebas en el sofá, mirando
las uñas que quedaron en el suelo.
"No me parece,
con este viento. Difícil que se oigan
las voces de las nenas
en el patio del jardín", dice mientras ellos
edifican. Lo veo moverse en elipses
entre fotos y afiches del PC, la mano
se levanta y toca,
después de una pausa, la pared, los ruidos de la sierra
también se levantan y tocan, después de una pausa,
otro tipo de pared, lo que no explica
por qué la tarde parece crear grumos
en este espacio habitable, ni el modo ajeno en que
    habla
del pulgar que le falta.

    ***

¿Viste cuando vas de noche en micro
y todos cabecean, y mirás a la izquierda, a la derecha
y nada, y adelante igual, una idea
de asfalto y dos conos
de luz amarillenta?
Daría lo mismo estar en Júpiter. Si la vieja, cuatro
asientos atrás, dejara, por un minuto,

119

de manosear ese rosario, a lo mejor podría
dormir un poco; pero el hecho
es que sigue y sigue, y cada palabra
de la oración agrega,
a mis miembros, algo más
no de peso, sino de nimiedad

***

La indiferencia
también es un método. Se puede deslizar
la mirada sobre los árboles, las mesas, el mozo
de saco arrugado, el fluorescente
roto, la mujer, que esquiva un charco, el coche
en doble fila, bañando todo
en el mismo tinte opaco, dejando sin cubrir,
si acaso, algunos cuadrados,
magros, por donde
respirar. Y así, en esa área
de fogonazos planos, aparece,
de tanto en tanto, un pez
que uno creía extinguido
hace siglos. Por ejemplo,
el verano del 84,
especialmente febrero.
Por ejemplo, las tres chicas rubias
que entran gritando al cine
donde dan la última de asesinos seriales.

(*InterNauta Poesía*)

CARMEN VERDE AROCHA

LA BOA

Una mujer que puede ser Carmen camina sobre las olas. Lleva el cabello largo y los labios de rojo Cabernet. Tiene trece años y baila desnuda detrás de las gaviotas. Busca a su hijo extraviado en el Cuira; él fue tras los duraznos. Éste es un río de muchos peligros, porque los encantados roban a los niños que están sin bautizo.

HE RECIBIDO OREJAS Y MIEDOS

Mi padre aparece en el Cuira con el frío en los huesos, y la piel seca como hojas de topochos cuando juega a la cebada en el cielo. A nadie le preocupa ahora dónde está mi padre. Él vive en un lugar anterior a la muerte. A veces voy a su río a beber un vaso de agua o le escribo un padrenuestro. Lo lastimoso, su carne impasible al borde del verbo.

ARRODILLADA

Arrodillada
creyéndome álamo desnudo
y con el peso del cielo.

Un charco de junio
busca mi rostro,

se burla igual que los muertos
de mis manos.

Una soledad larga y cercana
como una luz de mayo
es mi adiós.

Estoy sola con mis voces,
con los gestos que viven de lo añorado,

en este barro que me hace feliz.

(Inéditos)

JORGE FRISANCHO

PRIMERA MIGRACIÓN/LAS AVES

Conozco la historia de estas aves. Aves
que llegaron de muy lejos a poblar una cálida costa
y no encontraron sino la arena sucia, el mar que
    muere
y ese largo silencio delineando sus sombras.
Conozco la historia de estas aves vencidas por un
    tiempo
que no puede soportar tanta belleza, es decir, aquel
    tiempo
del ardor y la fatiga, nuestro sueño,
el sol que cae sobre la arena sucia
y un horizonte que se curva más allá de los ojos: sí,
    conozco la historia de estas aves tranquilas
que me miran, estas aves que miro: esperaron el re-
    torno sin poder olvidar
y la vida fue entre ellas el oficio de los desesperados
    y los mansos,
nada notable para quienes aprendieron
con dolor que los deseos son un círculo debajo de las
    olas,
que las olas van perdiéndose al caer la tarde.
Se alzaron contra un cielo demasiado oscuro, pren-
    dieron de él sus suaves sueños
y tampoco en su solitaria permanencia encontraron
    la ciudad.
Esa ciudad

donde ahora suponen un cuerpo que retenga sus pre-
sentimientos,
la sabiduría y la paz, una vida finalmente dedicada a
olvidar.
Pero esperaron el retorno sin poder olvidar. Y nada
han visto
sino la arena sucia. Y nada han encontrado salvo el
mar que muere.

Sí, conozco la historia de estas aves.
Su primera migración ha sido en vano.

I.M. JUAN OJEDA

> *hurtas voces*
> *para el día que amarás, y cuando lo puro te anuncia*
> *no hallas en tu paso sino un camino mondo.*

No hay para nosotros un tiempo más puro que éste.
Este tiempo ruinoso descubierto
al final de cada viaje, el anuncio de la tranquilidad
con que hemos vivido entre los hombres, los límites
del reino:
"En un puñado de polvo juzgarás el reino, y caminaremos
sin pregunta posible que aplaque nuestro desconcierto."
Nuestros ojos no soportan tan hermosa quietud, le te-
men a lo oscuro,
aguardan todavía
un encuentro fugaz con su propia verdad.
Y su propia verdad es una bella mentira.

Al igual que el poema, una bella mentira.

124

Porque es nuestro oficio la supervivencia, y viajar
es nuestra sabiduría.
El vano estrépito de las voces que huyen, las palabras
que amamos habitando estas tierras, las palabras,
nuestra inutilidad.
El húmedo sueño es siempre menos cierto,
aún alzándose por encima del cansancio para encontrar en él
el correcto sentido de las cosas.

No, no hay para nosotros un tiempo más puro que
éste.
Y nada hay tampoco aquí que nos consuele.

(*Infame turba*, Eduardo Chirinos, ed., Lima,
Universidad Católica, 1992)

MAYRA SANTOS-FEBRES

HUEVO

el caribe es un huevo que yo llevo entre la carne/la
gente no me cree/la gente cree que el caribe es
imaginación de turista/la gente se cree que el
caribe es fruta bomba/papaya abierta y jugosa
para la boca del forastero

pero no/es un huevo/el caribe es un huevo sin pintar tan pulido que hace a la gente ver cosas/verse
su deseo/su carnecita trinca y morada con
miedo a morirse sin meterse una fruta a la boca

que se joda la fruta/si ella es tan sólo un alimento/la
gente no me cree//

el caribe es un huevo muy astuto/nadie lo ve, hasta
que lo lleve dentro

CUBA

cuba es el huevo del delirio/el huevo del delirio/yo
no he visto a cuba/tengo que llegar antes que
explote/antes de que tan frágil se me caiga de las
manos/ese huevito de pascuas/con el cual
crecí/con el cual parí pechos tres veces

tengo que llegar/antes de que me lo jamaqueen y se

caiga/y salgan empolladas muchas alimañas que
no son las que yo quería ver/que no son/las que
yo guardaba bajo mi almohada/mientras paría
mis pechitos/pechitos de alimento/para dárse-
los/de comer y de beber/

no quiero ser la malamadre con mi huevito de
cuba/no quiero llegar tarde/y que lo que quede
sea puro cascarón

OMNÍVORO

virgen gorda/caimán/carriacou/st. maarten /anti-
gua/ bonaire/st. john

qué muchos huevitos regados por el mar/enredados
en alga de colores/

quién fue la malamadre/que los malparió / y los dejó
flotando solitos, /a todos mis huevitos azules /
mareados y sin saber / de la existencia real de
otros cascarones/

cuántas mujeres traficantes / tienen que regresar con
bolsas repletas de dentífricos / para que les crean
de la existencia de otras costas /

cuántas cristóbalas trenzadas /con cuantos celu-
lares/cuántas camisetas de turista /cuánto paquete de pelo plástico para hacer extensiones /más
duras que con pelos de la lengua

st. vicente /marie galán /st. lucía /antigua /nevis más

127

fuertes que las historias de barquitos/cruzando la tripa del mar

habrá que hacer una trenza tan fuerte como red de pescador/para atrapar a todos los huevitos/para hacerlos verse de entrañas y reconocerse hermanitos separados por horrendos malasmadres con espadas de cartón

entonces quizás entonces/deliciosas ensaladas vecinas/entonces quizás entonces una fiestas de pascuas en el mar

SEGUNDO OVARIO

¿qué más quieres que me meta adentro/qué más quieres que para/más dragones de mar/más islas donde se maten a tiros hijos de inmigrantes

qué más criaturas quieres que saque de mi carne/en cuanta cápsula quieres que me raje/embarrada y sangrando

cuántas veces quieres verme tirada en la esquina que me sirve de refugio cuando sangro?

tú que crees que es soberbia mi huida/tú que crees que es soberbia/lo que hago para sobrevivir…

***

clarice, girondo, gianina, juana
y si jugamos/a que no se rompen
y si jugamos a que/con sus pezoncitos
nos hacen invencibles
pezoncitos mágicos/redondos
pezoncitos líquidos
que nos enseñen a volar sobre las aguas

y si jugamos/a que ellos son las madres
y nosotras (tú también oliverito)
lloramos por mamar
porque nos cuiden
hasta irnos convirtiendo en otro huevo

De alante para atrás
y ya no seremos tan malditas
comadrejas corroyendo/de alante para atrás
con la boca abierta/a la trituración sonora
que hacen que se rompan cascarones

(casquitos en el mar
rotos cuando abismos a la boca
casquitos en las sábanas del mar
los cuatro/los ocho/los catorce)

clarice, gianina, juana, oliverito
y nosotras que tan sólo íbamos jugando/
la culpa haciéndonos más viejos
más torpes/más locuaces/más cansados
clarice, gianina, juana
la culpa nos convierte en malasmadres
y nos llena los pies
del mal de los exilios

Nosotras que queríamos los pies/
                        para otras cosas...

Para bailar/oliverito/para bailar.

ERNESTO LUMBRERAS

EL BESO

Durante el beso, la mujer y el hombre
comprometen su sangre con la noche.
Quien habla en ese instante es el silencio,
pronuncia mil cumplidos a la muerte
a fin de obtener su reloj de arena
para otorgar más tiempo a los amantes.
Al separar sus labios conocieron:
el sueño del profeta iluminado
la cifra exacta de aves en un bosque
el pacto de los reinos enemigos.

LA DOCTRINA

¿Quién frecuenta el bosque de tu sueño
sin temer a la flecha disparada
por un arquero miope que confunde
el blasón de su reino con un ángel?
Bajo esos robles, debe tu doctrina
orar por el retorno al primer día,
al edén prometido por la rosa
al jardín del leopardo y la paloma.
Sabe en tu mano el mundo su fortuna
a tu silencio el mar es un desierto.

(Clamor de agua)

LUIS GERARDO MÁRMOL BOSCH

TRÍPTICO DE LAS DELICIAS

(inspirado en El Bosco)

I. EL PARAÍSO TERRENAL

¿Acaso fue el primero, u otro hubo,
pretérito vergel? El tiempo corre
tan sin cesar, judío errante y torre
de Babel. La memoria el mal sostuvo,
parcial olvido, azogue agujereado.
¿Obedecía el hurto del ingrato
fruto del árbol a un impulso innato?;
¿en virtud de cuál gloria ha procurado
del Edén la afanosa reconquista?,
¿es la historia destierro, vigilia y nombre
de una gloria futura que Dios quiso?
El vano tiempo en su oquedad se enquista
en tanto el ansia resucita. El hombre,
¿cuándo será devuelto al paraíso?

II. JARDÍN DE LAS DELICIAS

¡Salve, oh numen, néctar alabastrino
felino azar, ebrio de la locura
del dios ahogado en medio de la anchura
de aquel bermejo mar, sordo al destino

132

que de cegar no acaba su retozo.
Muda la persistencia al entregarse,
anhelos del olvido, y disiparse,
¡puta razón!, la carne en flor al gozo.

¡Ecco la danza, en tropel a la fronda
donde corren en fuentes los manzanos
ven a sumirte en el bien sin la suerte

dómina quejumbrosa!, el hado esconda
su hosca balanza al son de nuestras manos,
¡tanto penar por distraer la muerte!

III. (EL INFIERNO MUSICAL)

La forma guardó un código sonoro
que al caos memorioso nos reintegra.
Danzar la muerte, que en vivir se alegra,
la náusea, el frenesí;
                          ¿Qué plañe el coro?,
¿la abdicación, mortero de la testa?;

    ¿Quién lo ejecuta?;
                          ¿Y quién lo plasma?;
                                              resta,
se anhele o se abomine, la igualdad
que acá se impone al fin.

                    ¿Por qué se cree
que la soberbia estirpe accederá?,

    ¿dejará intacta alguna potestad?;

la lucidez no admite ni posee
tregua o piedad: sólo ella vencerá.

SIR PERCEVAL

> *Benditas las penas*
> *que dieron al tímido necio*
> *el supremo poder*
> *de la compasión*
> *y la más grande sabiduría.*
> RICHARD WAGNER

> *Una rosa de agua pura es la tiniebla*
> JUAN SÁNCHEZ PELÁEZ

Si un hado no proscrito mudó en olas
la imponderable herida de la lanza
rosa que, no inmutable, su semblanza
si el blanco es ciega carne, no acrisola,
la *redención al redentor*, la entrega
huella tremante a su demanda alía
porque *Piedad engendra sabiduría,*
el inocente puro, voz que anega,
el Graal, la pulpa de la fuente.
                            Al brote
teje campana en el vacío el nombre.
El agua augura el rayo, el bosque oscuro.

Flama del purgatorio el silbo azote,
tenue vitral, la epifanía del nombre:
también aquél fue un inocente puro.

SONETO A JESÚS CRUCIFICADO

Para Armando Rojas-Guardia

Si fuera concedido sumergirme
en esa niebla de tu esputo santo
que Schehadé cantó, no fuera tanto
como el solo foetazo donde asirme

a lo que, un tenue atisbo inmenso, espero
que a mi patria cabal me aventaría.
¿Por qué, entonces, me aferro a esta porfía
de querer tu consuelo, y no el madero,

fragante astilla de núbil canela?;
de la zanja hecha en mi tonsura fluya
(porque adamándote me ame a mí mismo

sin tacha), el agua donde la gacela
abreva, al fin promiscua con la tuya
para ti, *dulce ron de los abismos.*

(*Vitrales de Alejandría*)

OCUMARE

Para Rolando Losada

I

La tiniebla más honda no es tenebrosa.
Aquí la noche es un denso cristal
que brilla como si miráramos la luz a través de él,
y podemos hundirnos en ella como en un espejo,
un agua detenida.

135

El mar de tinta china
apenas insinuado a esta hora por una tenue hilera de
    espuma
¿dónde comienza y acaba la noche, toda ella de un
    agua espesísima?

Aquí vinimos los que quisimos compartir la soledad.
Llevamos la ropa de la errancia:
franelas de algodón, pantalones raídos
y nuestras sudaderas como si fueran sayales.
A nosotros, los que venimos de viaje
un viento fuerte y caliente
que antes creímos que era el vapor de las embarca-
    ciones en los puertos
nos da en la cara y sabemos que hemos llegado;
aprendemos a ser eternos
como antes lo aprendimos al desembarcar en otros
    puertos
durante noches como ésta.

El salitre
que se pega a las paredes de la vieja casona que nos
    hospeda como una brea
es el hermano del viento.
En un instante olvidamos toda la añeja prudencia
que tanto nos encarecía evitar su cauterio por tiem-
    po prolongado
a riesgo de que, si así no lo hiciésemos,
nuestra propia piel quedaría como la de estos muros.
Respirarlo ahora es sentir como si afinaran un instru-
    mento largo tiempo olvidado.
Entra por todo el cuerpo y deja limpios los pulmo-
    nes,
sitio de asiento del alma.

136

II

Pero a pesar de todo, no se vino aquí para la contem-
plación.
Nos esperan los días siguientes
jornadas llenas de los afanes de los que creíamos
huir,
y aunque es cierto que vinimos buscando redimirnos
por la ilusión de un infatigable apostolado
ya sabemos, apenas llegamos
que sólo recordaremos este viaje por las horas últimas de cada día,
porque es entonces cuando dejan un tanto de ago-
biarnos la turba y su discurso,
que transidos de culpa,
creyéndonos los impuros, los erráticos, los necesita-
dos de redención
quisimos hacer nuestro,
pretendiendo olvidar o trastocar, con muy mala conciencia
lo esencial de todo cuanto nuestra alma nos decía.

Y así va pasando el tiempo.
Al mediodía, mientras el cuerpo descansa
el viento tañe oboes entre las hojas del uvero de playa,
y el mar color turquesa más allá
nos acerca, por instantes, a la verdadera promesa;
pero ello es breve como toda intensidad,
y tras retornar las hordas al centro del escenario
nos hacen entender, con maña sutil,
que somos nosotros quienes hemos pretendido
la usurpación de su real señorío.

Cuando al final de la jornada cesan también
esos afanes de la vida ordinaria que aún aquí nos
    marcan con su hierro
subimos por azar a la azotea
y allí nos distrae la ilusión de estar mirando el mapa
    íntegro del cielo
que parece, no obstante, un mapa oceánico.

Las nubes que siempre,
mucho más cuando comienza o acaba el día —y aun
    antes de haberlo leído en los libros—
nos parecieron islas o manglares,
han desaparecido
y en su lugar las constelaciones juegan un extraño lu-
    do.
Abriendo mucho los ojos para mirar entera la bóve-
    da celeste
la frescura nos releva muy lentamente de la opresión
    de esta jaqueca,
única manera con la que el cuerpo se atreve, en es-
    tos momentos,
a hablar de nuestra pena.

Si no fuera por esa mínima hilera de espuma,
el viento y la sal,
no sabríamos quizá que hay mar aquí,
empeñados como estamos en sentir el suelo —el cie-
    lo— abrirse ante nosotros
y ser engullidos por algunos de estos abismos.
Pero no podemos pedir que ese o el otro nos hospe-
    den,
estamos aquí para mantenernos de pie.

138

III

Éstas son las palabras de los cansados
y son éstas sus obras.
Nada hay de nuevo o distinto
en lo que acabamos, por fuerza, haciendo.
A fin de cuentas, hemos estado aquí sólo para conocer
cuánta verdad encierran ciertos lugares comunes
y el retorno será para nosotros la insobornable hu-
mildad,
y lanzarnos otra vez, llenos ahora de conciencia,
al torbellino en donde todo,
también las señales que en el futuro podamos seguir,
se mezcla sin concierto.
¿Mas no era ésa, desde el principio, la vía regia?
¿es que no fuimos acaso lo suficientemente adverti-
dos?
Puede que haya tiempo aún,
pero pareciera que aquello de repetir los mismos
errores de quienes nos antecedieron
—los mismos, sin variar en nada, a pesar de que ya
los conocíamos—
desoyendo las advertencias de los que vuelven,
diciendo que "eso les pasó a ellos porque se equivo-
caron
o no supieron cómo actuar,
pero con nosotros las cosas serán diferentes",
es algo realmente inevitable, una fatalidad del alma
humana;
¡y cómo sucede tal cosa con hombres en verdad nobles,
hombres que, aunque agudos de entendimiento,
tienen el corazón de un joven de veinte años!

139

El camino del espíritu, única reconciliación posible,
es —nada nuevo tampoco— radicalmente solitario,
aunque luego debamos atender el llamado de quienes necesitemos y nos necesiten.

IV

Es tanta la claridad del cielo nocturno
que diríase aquel *cielo de seda* de los poetas,
una seda gris, muy oscura.

Hombres llenos de letras,
acabamos recordando a los románticos
y tan sólo logramos que nos miren con recelo mayor
o, en el mejor de los casos,
como sujetos pintorescos —eso sí, muy cultos—;
pero ya nosotros estamos mucho más allá:
descubrimos, entre afortunados y resignados
que sí es posible compartir la soledad,
ya sin otra ilusión que la comunión de las almas,
con unos pocos que como nosotros vinieron hasta esta sola orilla del mundo.

Fue tanto lo que callamos por no ser excluidos
de la sociedad de los que se creyeron llamados a algo grandioso,
tantos los malabarismos que en nuestra mente hici-
   mos
por fundir en una la visión que los otros tenían del
   mundo y la nuestra
que ahora el misterio, como si de algún modo quisiera compensarnos,
permite que no permanezcamos mudos ante Él,
y lo primero que hacemos es extender los brazos, ya

sin creernos los ungidos
—pero todavía prestos a reconocer nuestras culpas,
    reales o inventadas—
a cualquiera, sin excepción,
de aquellos entre quienes nos rodean que bien qui-
    siera acogerlos.
¿Cuánto tiempo durará en nosotros semejante dispo-
    sición?
¿Estamos haciendo lo indicado, o nos equivocamos
    de nuevo?
Por ahora es suficiente
con el rostro iluminado de los que de veras nos
    acompañan.

Nos sorprende nuestra elocuencia.
Cerca de nosotros, sobre la casi invisible arena,
un tronco ceniciento de uvero de playa parece un fó-
    sil prehistórico;
las eras tórnanse más cercanas
mientras navega el rostro que tiembla entre el vino
    profundo de las constelaciones.
Nuestros latidos, inciertos,
se acoplan
al término de todo
con las olas.

A medida que pasa el tiempo y acalla el estruendo,
y el oscuro resplandor revela al fin los perfiles del
    mar y de la tierra,
la casa blanca que nos hospeda se asemeja más y
    más a una antigua arquitectura
como situada en el centro del mundo,
dura e incorpórea entre su cortejo de árboles insi-
    nuantes,

y el alma abierta en el conticinio
sale a tomar de su propio elemento su calor.
¿Cómo se ve nuestro rostro alargado bajo la luz nocturna?
¿Ella acentúa la ceniza de aquél, que llega incluso a mostrarse como ilusión,
falsa pero profética,
en nuestros cabellos aún castaños?

Ojalá que al irnos a dormir
no nos persigan todavía las angustias del deber
que en buena medida nosotros mismos nos impusimos.
Así podría quedar saldada la deuda
hasta que llegue el día de nuestra partida.

(Inédito)

XAVIER ECHARRI

POEMA

1

Quien camina sin dejar rastro
evitará que lo sigan los Osos y los Hombres.

2

Cara de agua, eres mi cierva temerosa,
suavecita como piel de gamuza pastando entre alca-
    chofas.
Recorrido está el bosque
    por el camino más sombrío,
vamos entonces entre la sangre blanca de las rocas
    por esta herida de los pastos.

EPÍSTOLA A LOS PEZONES (ARTE POÉTICA)

Cuando la poesía deja de partir de la experiencia
y se ciega de libros
    se hace retórica, Anapesto,
pero la experiencia se resiste en poema a los indoctos.

Por eso lee, Anapesto, pero
    no demasiado;
has de escuchar también a los rapsodas,

los melómanos ciegos, las comadres:
Todos los mensajeros han traído noticias, y disputan
    entre sí por anunciarlas.

EL OJO DE LA AGUJA

Sonabas a riachuelo
tú eras la piel donde los animales se esconden.

Un animal deseaba ver Aristóteles
pero no lo vio
porque éste no existía (me refiero a Aristóteles).

Los peces sobre el piano revolvían la espuma
de manera que nadie supo de quién era la música.

Los caminos del alma son como caminos
riesgosos y oscuros por los que no va nadie
(y el último en saberlo es uno mismo).

La poesía es un ejercicio de prisionero:
trazar el mapa de la cárcel que haga
posible una fuga masiva.

ELLA LO ENCONTRÓ...

Ella lo encontró, sí, atractivo,
pero no demasiado.
Pero después lo lamía, y después lo
escupía.
Tenía sólo lágrimas en los oídos, fue por eso.
Un vaso de lágrimas como agua mineral,

144

Y jarrones con parras y racimos,
Y un pingüino amarrado a su cintura.

Fue perdiendo la memoria o sólo podía recordar una
    cosa:
Eran hipnotizantes.
"No eran rostros hermosos con dos órbitas huecas.
Cada rostro era distinto, y cantaban o pintaban o
nunca podrías imaginar todo lo que hacían
ni ellos mismos sabían todo lo que hacían."
—Pero, gorda posible, ¿dónde está el pan?

Ella no lo sintió entrar porque él ya estaba
Dentro.
Como se escucha el llanto en un vendaval,
Un día despertó en otra parte
Que era el mismo lado al mismo tiempo.
Con la misma cara de imbécil con que quedan
Todos los abandonados.

(*Las quebradas experiencias*)

JACQUELINE GOLDBERG

A FUERZA DE CIUDAD

XIX

Duelen
tus bestias
invadidas
Repletas
de mí

XX

Sin ese río
Sin casa
ni patio
para esperarte

XXI

De este lado
el enigma
        Mujeres
y bandidos
a fuerza
de ciudad

XXII

Hay un tiempo
de esperas
y calles altas
Un hombre
   Un ángel
     Un sueño
que escribo
desde siempre
en la madera
del deseo
En los últimos rincones
de lo que
     simplemente
no puedo decir

XXIII

Sólo caben
restos
de un combate
sostenido en la sombra
   Esto
que en mí
arde
es lo de antes
lo de la casa
y la calle sucia
la mesa mal puesta
la ropa sudando palabras
   tu boca
aferrada a mi pecho
y la cama

siempre
   siempre sola

XXIV

Hablar de uno
avergüenza
Se pierden
los momentos
sacudiendo mentiras
Nos miramos
y sabemos lo que somos
Y eso
Eso jode

XXV

Vigílame
en tu cuerpo abierto
Que no haya
prisa
ni brazos
desvelados
Sólo yo
   arrimada
seca

XXVI

En mí
sólo existes
de regreso
De otra manera

Ocupas lo nombrado
Lo de antes

XXVII

Sudo
encierros
    Mordeduras
traficando
calles
de mi boca
a la noche

XXVIII

Hay una mujer
destinada a la sombra
Una mujer
que como yo
repite sus rostros
en las grietas
de una calle sin nombre
Ambas
    resistimos
a la mentira
de hacernos las buenas
las del árbol solo
Colgamos
el miedo
y las ganas
y cuando
nadie pregunta
cuando por fin

149

nos dejan sostener
raíces en los ojos

iniciamos
el regreso

permitimos a extraños
adivinar
lo que nos detiene

NADIA PRADO

NO SOY DIOS O DIOS

No soy Dios o dios o DIOS
no soy nada y no tengo nada
sólo garabateo al mundo
            pues tomé de él su basura
el antojo de la suerte

Vete al cuerno
            no trates de hacer de un diablo una reina

Voy a sobajear mi rabia
Voy a pavonear mi pena

Ginsberg debe escucharme:
hombre o mujer da lo mismo
alguien a quien mirarle los ojos
alguien con quien huir
¡ah! el escape   triunfar   campanadas de gloria
            fuego de gloria
soy un jinete montado en la cola del universo

    ***

Éste es el recinto carcelario de América
Querida América   ¿dónde te has ido?
el Tap viene de vuelta
también la muerte

Dispersa por ahí
con un ojo dedicado al llanto
y el otro a la nada
castro mi risa en pro del Arte
ves   sufrir es tan bueno
–qué gran vidente Macedonio–
"Tampoco es una obligación ser feliz"
después de todo el artista
es la ira total de la vida
un cuento de impúberes
un necio manteniendo en boga el ritmo de la muerte

I. MODELO VIVO

Todo es un ejercicio de vivir en este espectáculo frau-
dulento revoltijo de dientes sobre la carne   unos sobre otros   Los prestigiosos administradores de la
cultura nos fatigan

EL HABLA

caliente la garganta grita   Tantas cosas se pueden
comprar aquí   Defenderse del canibalismo a mordiscos no es acción segura   tu cráneo es triturado
rápidamente por un bototo   por una ley   por el
miedo   por la regeneración   por el miedo   por
el miedo largo y continuo

LA VOZ

que gritamos para mejorar la cueva ya nada vale

Ahora se trata de salir vestidos de etiqueta del fango
Si alguna vez caíste en medio de la ciudad   algo pudo ponerte de pie antes que una lengua afilada te
cortara el pescuezo navaja   navaja fuerte era

LA CUEVA

resucita para quedar convaleciente   convaleciente
se transforma en bárbara   Hipocresía crónica de
gran tiraje   la cueva flagelada y enfurecida

LA LENGUA

prendida por los esbirros escribe una escena social
flácida no permitida la mejora   La porquería llama-
da moral descompone al desobediente   Lamer lamer cúpulas consignan   Soy enferma y huelo mal
La unanimidad se usa mucho en toda la audiovisión
antenas y sonido   La unanimidad se usa mucho
enseña   enseña   Enséñanos a todos   Mensaje
dominical como el país del águila

T.V. LA LENGUA T.V.

escribo para sacarme esta cicatriz   La incubación
de la enfermedad   La escritura en el cuerpo   en
el cráneo

153

SALUDOS

me traen flores sueltas y en canastillos   Víctima de
las buenas intenciones   La cicatriz   la cicatriz   Me
vuelvo muda para recibirlas   no logro rehusarme

LA VIDA

succiono las ubres   masa esponjosa de latinoaméri-
ca nacida para la muerte   Habitáculo experimental
El águila   el águila orina la extensión de tierra y yo
busco esos pastos para alimentarme   sueño un
buen campo lejano   Mi único ojo abierto está lleno de moscas   La crueldad se refleja

ORIGEN

me cortaron el ombligo para meterme aquí   La au-
tosuficiencia no me hizo bien   Soñé con mi madre
en estos últimos años   saltó la carne de mis brazos
que no tenían a quien acoger

(*Simples placeres*)

154

GONZALO RAMÍREZ QUINTERO

V

Transfigurar la noche será un ejercicio de ardiente
    obstinación
el cometido oscuro de una altiva sangre joven
el cometido luminoso de una aventurada vejez ex-
    ploradora
el anhelo de la redención dilatado en el horizonte
la estrella de la redención buscada por el nómada
la palabra su filiación oscura
indigencia sin final sin fin
el absurdo deseo de ser huésped del arrebato
la zarza ardiente ardiendo
la alabanza del ardor
el vínculo noble con una voz a través del teléfono
el miedo por una muerte demasiado temprana
la nostalgia otra vez su hierro candente
la alada y terrestre calidad de un cuerpo
el alma sobreviviente de todas las cosas poesía
la madurez como un obstáculo cada vez más insalva-
    ble
la doncella que se levanta contigo cada mañana
la voz de la flor en el desierto
el secreto su inexpresable diafanidad.

(para Juan y Malena)

155

VIII

Escucho la noche en la noche
El brillo de una mirada me ofrenda consuelo
Cuánto hay de esperanza inexpresable en el ascenso
     de una voz
Cuánto de silencio en la anónima dignidad de un co-
     razón
Estar aquí es la más exacta definición de la tristeza
Bajo la angustiante verticalidad del sol negro
Me hago sudor sudario me hago
Desnudo en el altar del sacrificio
Este dolor nuestra única realidad constatable
Esta esperanza tuya carnal por imposible
Lumbre vendrá alumbramiento seremos
Lumbre alumbramiento súbito vuelo

                                        (para Alberto Márquez)

IX

Descúbrete identidad imaginaria nómada
Fugaz por un instante en la frágil realidad de este mi-
     nuto
Belleza del gavilán para la plenitud de la voz
Ternura del cristofué para la ritualidad del silencio
Jesús de Judea lirio del campo
Mordejai Anilevich andando cerca ya de todo
Pedro Rojas escribiendo con su dedo grande en el
     aire
¡Viban los compañeros del ghetto de Varsovia!
La memoria de los vencidos nos impide olvidar
Memoria llama de amor viva anunciación de una luz
     no usada

156

Tenemos derecho a esperar Jean Sénac
Nosotros los que no hemos abdicado de nada

(para Julio Ortega)

X

Lía se llama el nombre de esta dicha
Dicha inexpresable donde accedo a la intimidad del
 ángel
Crístico corazón de la noche
Tu alma como una casa en el aire
La belleza que se adelanta en el lugar de tu cuerpo
Una cotidiana ganancia inmerecida
La leyenda la fábula el milagro de lo humano

XIV

Caracas situación desconocida
Insomnio ganado a la indiferencia del sueño indife-
 rente
Cuando en realidad hablas poesía extraña es tu voz
Tu desvelada solicitud voz mendiga oscura contin-
 gente
Miedo a la realidad a su rugosa consistencia
Que nos abandona al balbuceo
Como la muerte que no podemos decir pero nos ha-
 bita
Ganancia no necesito
Sólo el humilde diáfano esplendor del llanto

(Inéditos)

157

ALYNA BENGOCHEA

TOTILIMUNDI

ni un gesto   ni una palabra
sólo fibras disímiles del árbol
para los oscuros ojos de la madrugada.
cuando se da en el blanco
no bastan fuegos de artificio
el esplendor y yo   animales que se desdoblan
somos el doliente signo   la vestidura amenazadora
con guardia de corps y novela gótica.
ya no es el universo el más hermoso
de los seres creados
estos contornos que conozco
guardan la perversión
y dejan que la antivida
tenga plaza pública y soledad ciega.
si no es éste el círculo
sobre el tatuaje del moribundo
¿qué tempestad podrá avisar
al áspid agonizante?
éste es el precio del abracadabra
el desafío.

PEQUEÑA BABILONIA

el Iniciado   seguido de una banda de peregrinos
merodeaba las trastiendas de la ciudadela y algo lo

inducía a penetrar en el subterráneo ocio de los nómadas. eran las últimas mareas   las nunca vistas maestrías de los nómadas. cuando el Iniciado sintió que restos del enigma se reproducían con muy diversa copia   recogió sus huestes en busca de otras latitudes.

EN EL ÉXTASIS SU VENENO

en el éxtasis su veneno   su delirio   su inmortalidad por encima de la destrucción a esa hora en poniente   en dirección a la tierra yo cayendo en la continuidad.
ofréceme tu soma   ¿eres Dios?   entonces comúlgame y desapareceré. mi cuerpo hecho de plantas soy una planta y me alimento de mí misma   ¿podré elevarme?   ¿podré alcanzar la redención o terminaré girando a mitad del crepúsculo?

(Excesiva presencia)

JORGE FERNÁNDEZ GRANADOS

EXILIO

Algún día estaré contigo donde un ala
sea la errante evidencia del milagro,
en una patria que el viento dispersó,
una tierra que nos vio caer
para olvidarnos.

Algún día despertaremos ahí,
a un lado de la luz, como los pájaros,
sabiéndonos viajeros en la niebla
con una rama de olivo entre los dedos,
cansados de esperar, obedecer y morir,
salvajes como el dios de nuestra infancia.

Algún día, cuando la maldición del tiempo se termine,
volverá a nuestra frente el agua de un umbral per-
    dido.

Ese día estaremos de regreso.

(*La Jornada Semanal,* México, 6 de diciembre de 1992)

160

PEDRO LUIS MARQUÉS DE ARMAS

DYLAN THOMAS

(según Borges)

Pienso para ti en los blancos muros de un Manico-
   mio del Norte.
Pienso en el sol, mínimo polen.
Leo en las vértebras del agua aquel ignoto libro de
   los dígitos de oro.
Pienso que ya no esperas el rayo.
El heno que dócilmente abres es el lecho de un Dios.
Sé que los días fluyen en las venas de un árbol.
Veo desde el fondo de un sueño, cómo discurren los
   vagos carneros.
Veo que yo también soy el niño que sostiene unos
   clavos;
un puñado de lilas, unas cuantas monedas.
Sé que la inercia es un pájaro que siempre lleva a la
   tumba;
breve quietud de la muerte.
El tiempo, una verde araña, nos va copiando en un
   río.
Pienso en el río y en los blancos muros de un Mani-
   comio del Norte.

(*Doce poetas en las puertas de la ciudad,*
Roberto Franquiz, ed.)

161

No irás a Troya a desmentir su sombra.
Como el amor, sólo ese cuerpo gotea y se recoge
y en él yaces tendido sin despertar,
que era la copa de tu amor lo que la alzaba,
el mar inclinado por la boca del otro rey soplando.
Un cielo agónico allá arriba.
otra ciudad sitiada.

Mil puertas que no fugan.
Mil arcos donde ahora la nave colaría hacia el cre-
      púsculo;
ola de albura inmóvil,
tibio el sitio en que mis labios parten como buques.
Brújula de hueso,
manto bermejo el sol ya se retira,
vuelve a fijar su lámina en el ojo.
Allí también su sombra, el agua en cuyo borde copio
esta aceitada desazón.

Ha oscurecido.
De pronto la ciudad no signa con tu fiebre.
Pero no vale el amor,
no vale la angustia de los días
que van sajando el alma.
Cada día penetra con su proa.
Cada proa se aleja con su angustia.
Otro destino vela tu orfandad,
acuna livideces a la orilla del muelle
mientras tu cabeza asoma su gran ojo de Cíclope
y ve que aun su cuerpo es toda el agua,
que pudo más un sueño,
que nunca irás a la lejana Troya.

LAS PALOMAS DE MI MADRE

(según Gastón Baquero)

He visto una paloma en el alero de la casa
blanca y sin pasión como la nieve en una foto del
    Norte.
Tras el velo de la paloma he visto a mi madre:
mi madre murió hace mucho y creo que está en el
    cielo.
Una vez me perdió en un Banco de la calle O'Reilly
y yo me fui en la saya de otras mujeres oscuras.

No eran blancas palomas las oscuras mujeres
ni de nieve como las que vi en una foto del Norte.
Qué misterio lunar el de la memoria mía
si me concede la inocencia y la sutilidad de todo.
Soy un niño o un mago o a todos he mentido tan
    bien
que ya mi madre me halla al doblar de alguna es-
    quina.

—En la taza del rey yo me tomaba un café.
El rey pone su mano en mi cabeza inocente,
me hace confesar el destino de cosas que nunca he
    comprendido.
Una blanca paloma por tanto no es la nieve
ni el cielo un aposento seguro.
Entonces soy un niño y lo confundo todo
o soy un rey que olvida.
Mi madre me perdió en un Banco de la calle
    O'Reilly
mas las palomas se posaron en mi hombro.
Y cuando quise recordar la pasión del otro niño,

163

pensé en el mar, ese otro sueño que yo tuve.
Le dije: –Oh mar, querría usted mostrarme
el cuerpo cierto de la paloma,
el luminoso cuerpo de mi madre,
el balcón, el abismo.

ASTILLEROS

Como en mágicas letras coloreadas de Rimbaud.
Ante mis lúcidos ojos he visto el mar, el mar.
Sin traslocar mis visiones
he visto los bancos del Paseo de Paula
y junto al muro,
el polvo negro de Tallapiedra.

Ojos míos que vieron el mar,
los barcos rusos, los barcos griegos,
como espejos estos recuerdos me persiguen.

Es domingo,
he cavado en mi pecho una fosa de sol,
ahí se hunden, los elementos ingratos de la isla.

Hacia un no límite
como ayer hacia el vértigo dorado y salvaje de otra
    isla,
mi alma no,
es mi cuerpo quien toma el camino que habrá de lle-
    varlo al Juicio
Frente a la augusta corte:
decir las cosas que me comunican con el hombre.

Sol de aquí, bahía.

Sol de acá, mortandad lenta de domingo.

(Los altos manicomios)

OTRO POEMA A LAS PALOMAS DE MI MADRE

He visto una paloma en el alero de la casa
Blanca y sin pasión como la nieve en una foto del
    Norte.
Tras el velo de la paloma he visto a mi madre.
Mi madre murió hace mucho y creo que está en el
    cielo.
Una vez me perdió en un Banco de la calle O'Reilly
Y yo me fui en la saya de otras mujeres oscuras.
No eran blancas palomas las oscuras mujeres
Ni de nieve como las que vi en una foto del Norte.
Qué misterio lunar el de la memoria mía
Si me concede la inocencia y la sutilidad de todo.
Soy un niño o un mago
O a todos he mentido tan bien que ya mi madre me
    halla
    al doblar de alguna esquina.
—En el vaso de un rey yo me tomaba un café.
El rey pone su mano en mi cabeza inocente,
Me hace confesar el destino de cosas que nunca he
    comprendido.
Una blanca paloma por tanto no es la nieve
Ni el cielo un aposento seguro.
Entonces soy un niño y alucino todo
O soy un rey que olvida.

165

Mi madre me perdió en un Banco de la calle
      O'Reilly
Mas las palomas se posaron en mi hombro.
Y cuando quise recordar la pasión del otro niño,
      pensé en el mar, que es otro sueño que yo tuve.
Le dije, Oh mar, querría usted mostrarme
      el cuerpo cierto de la paloma,
      el luminoso cuerpo de mi madre,
      el balcón, el alero.

(Alicia Llarena, ed., *Poesía cubana de los años 80,* Madrid,
La Palma, 1994)

CLARO DE BOSQUE (SEMIESCRITO)

las puertas se abren hacia
dentro y
con horror infinito
hacia fuera los pensamientos
pienso
en una escritura-intensidad
pero no es escritura la palabra exacta
(exacto es claro de bosque)
ni siquiera la que más se aproxima
ya que
ninguna palabra es tan intensa
para ser escrita
en el horror infinito *de unos caracteres de tierra*
el cerebro desenterrado
de esas tierras al margen y
sin embargo
en algún punto o claro de bosque
calculado

(en la cabeza)
aunque el término punto *también* in*exacto*
y aún, todavía las rayas excavan
cada uno de esos puntos diversos
(pilar de lengua viva)
los caracteres se desprenden
al simple roce de manos
así también la tierra
al borde de ciertos farallones o mantos de pizarra
ininterrumpidamente hacia
dentro y
con horror infinito
con (más) horror infinito *hacia fuera luego*
campos
cabezas
molinillos-organillos
en Mandelstam, Nietzsche (¡que crujen!)
y ahora
en la nunca espectral y absorbente cabeza de este Bernhard
con una intensidad cada vez más creciente
más sin salida
hacia dentro
y fuera lo mismo hacia la intersección entre una idea,
    clara
de suicidio (sostenida a lo largo
de una existencia toda ella entregada al suicidio)
y el acto
al abrirse la puerta en la sima
—sismática,
con fondo de hueso gris y libre
de todo resto de tejido humano
"allende los humanos"
así en las mismas al aire libre de Serra Pelada
unos 400 km al sur de Belem

167

donde los humanos (moléculas rientes de negror corredizo)
han sustraído
en un corte sagital
la órbita de un ojo infinitamente horrible
semiescritos
emergen de la mina y
la tierra (pilar de lengua)
escala por los bordes
reproducen el movimiento (ardoroso) de la masa (de tierra)
que no va a ninguna parte
ningún pájaro atraviesa el "aire libre"
de estos yacimientos
el cielo ha perdido su convexidad característica y
además
su oficioso y noble speculum
como si en estas minas de oro
400 km al sur de Belem
se hubiera operado (ya)
en la intersección
el corte sagital del cerebro
de manera
que
la cabeza y el ojo
el ojo y la cabeza y
así los campus (de ojos) y los campus (de cabezas)
expresan la superficie
(ya
exclusivamente
extirpada)
o sólo es, exclusivamente
el fondo de la mina
en uno y otro sentido no debemos ceder en la intensidad
así Bernhard

con horror infinito
ante el claro

> *Amiboide*
> como ojo
> blanco
> *y completamente real*
> el filo
> de canto mudo
> corta

(*Encuentro de la cultura cubana,* Madrid, núm. 3,
invierno de 1996-1997)

PAULA BRUDNY

Estoy sola y escribo. No, no estoy sola.
Hay alguien aquí que tiembla.
ALEJANDRA PIZARNIK

LEYENDO TUS POEMAS

entrar en tu guarida
ronroneante

mamarte
construyendo
despacio la tensión

una visión perfora
desentierra
tu cuerpo para mí

y te creo
jadeante
mis labios en tu oído
toco tus cavidades
te acaricio por dentro
te lamo
quieto el aire

y te vuelvo a escribir

ROMANCE DE LA NIÑA NIÑA

Navegando iba la niña,
navegando sin saber;
el rumbo no lo conoce,
el puerto ya lo ha de ver,
el puerto tampoco elige
la niña que va a nacer.
El viento batiendo en seda
su cuerpo le da placer
cuando el llanto de la luna
sobre el agua ve mecer.
La niña niña se hamaca
en la proa del bajel;
muy profundos son los mares,
la niña puede caer.
Dos escándalos de sombra
revolotean sin ser;
una sirena le canta,
hacia allí quiere torcer.
La niña niña se asoma;
después, no sabe volver.

GLOSA

si escuché un poema
y me gustó
pero ya lo olvidé
y ni siquiera
sé quién lo dijo
ni quién
lo escribió
yo lo escribo de nuevo

para mí y para vos
porque decía
si una noche
vinieras a mi casa
de improviso
no entres sin llamar
quién sabe
con qué palabra
podrías encontrarme
en el amor
quién sabe
si podrías llamarme
en el amor
con qué palabra
que me llame
con tu amor
sin quebrar
mi deseo
por aquella palabra
caliente
para hacer el amor

(Siete baúles)

Mis rizos rubios se atraviesan entre la mirada y el
    papel. ¿Porque no hay otra mano que
los acaricie? Ofrecerme a sus dedos, permitir que
    desarme mis bucles. Me enoja, pero
me gusta que los desee. Desparramo mi cabellera
    sobre la almohada. Enmarco mi cara
para que busque mi boca. Esa boca inútil que no
    sabe palabras. Esa lengua, que sólo
sabe lamer. Para dar placer. O para comer. ¿Qué sig-

172

nifica la comida en el amor? Había
un personaje que no podía hacer el amor si no comía
    antes, durante y después. Yo me
odio cuando como, pero no puedo dejar de hacerlo.
    Tantos años en la doctrina de que,
como no existe dios, la comida es amor. Ofrendas
    hechas torta con merengue. Hoy son
frutas tropicales que aguardan en mi heladera. Y aún
    no puedo evitar la necesidad de
masticar mientras leo. Mi sueño en una tarde llu-
    viosa es un libro apasionante y un
infinito tarro de galletitas.

(*Vestirme deslumbrante*)

LA PIEDRA DE ROSETA[1]

más allá de este cuerpo
la lujuria
suntuosismo virtuoso
con detalles salvajes

el trapecio
el aire que circula alrededor

maratónica lucha
en denodado auxilio
de un destino
la mística que trepa
desde el sótano
o repta, soberana
bajo el sol de la siesta

[1] En realidad, la piedra de Roseta era el suplemento cultural de
las Tablas de la Ley, que Moisés perdió al bajar del Monte Sinaí. [A.]

la víbora que luce
la cabeza partida de un piedrazo

o un lago
o un arroyo
o un río del Olimpo

la culpa siempre está

nacimos de un ombligo
quebrado de un hachazo
para poder
tan solos
olvidar padre y madre
renegar su dictamen
jugar gozosamente
con la sangre total
creernos hechiceras
disolver los papiros
inventar la leyenda
resolver jeroglíficos
a gusto del lector

y entonces
sólo entonces
en el instante diáfana
mis orejas ardientes
en tu beso y tu sal
elegirán pendientes
de jade y alabastro
y mi sudor tranquilo
me redibujará

(*Inédito*)

OMAR PÉREZ LÓPEZ

LA MELODÍA DEL CÓDIGO

Después del baño
se recuerda preferiblemente a los padres
se recuerdan mejor sus lecciones
y las úlceras que les impidieron reposar.
El número favorito de la madre es la suma de hijos,
el del padre
es la cantidad de años que demore en merecer la
        muerte.
El padre le enseñó a suspirar y lo adiestró
en el variado uso de las manos,
la madre le enseñó a no embriagarse nunca fuera del
        recinto.
Así, la ternura del guerrero,
la ferocidad a manera de bruma
estropea hoy las pupilas del hijo pródigo.

CAMINANDO AL FONDO

Una tristeza politiquera penetra conmigo en el es-
        pejo
algo hay que me fuerza a que la acepte,
como hay algo que me fuerza a soplar la sopa antes
        que nada.
Reconócelo, no es un niche de buen brazo
no es el hijo de las estadísticas

175

no es el muchacho con los belfos de corduroy;
míralo sin riesgo de que se te haga la boca agua,
es el héroe, es el héroe, es el héroe.

(*Un grupo avanza silencioso*,
Gaspar Aguilera Díaz, ed., 1990)

CONTRIBUCIONES A UNA IDEA RUDIMENTARIA DE NACIÓN

En las volátiles noches de un invierno
que la naturaleza convalida con magnanimidad
el cubano se entrena para la diversión o para la am-
    nesia,
muy injustamente se supone a veces que son la mis-
    ma cosa
lleva dulces a Dios, fermenta los dialectos
combate la cirrosis con frutos en almíbar, hace co-
    mercio;
se dictamina entonces que El Cubano inventa.
En las pesadas coreografías de un verano
que la naturaleza autoriza, ya, con suspicacia
va el cubano hasta el océano con ofrendas y arpones,
muy injustamente se supone a veces que son la mis-
    ma cosa
enumera con los dedos las bajas, ejerce la infracción
lleva las manos a los bolsillos, jura y compromete;
se diagnostica entonces que El Cubano inventa.
Asistamos al territorio improbable
donde el cubano y El Cubano conversan viril, pasto-
    samente
allí conoceremos en qué travesías, en qué extraños
    parajes

176

en qué trueques
hemos contraído tanto ingenio.

(*Credo*, La Habana, año 2, núm. 2, abril de 1994)

SUJETO PURO, SUJETO DESMENUZADO

> "...que escribía con la esperanza de co-
> rromper a los tiempos venideros..."

Escribía con la intención de perjudicar, sobornándo-
     las,
a las generaciones del futuro
lectores de sólida reputación, emancipados
en la sagrada modorra de las bibliotecas y las con-
     versaciones
y, una vez más, las bibliotecas;
escribía con la ilusión de enemistarse.
Escribía con el propósito de extorsionar a la posteri-
     dad
lectores, pálidos o atezados, alzados (obscenamente)
sobre los estatutos de la cultura y el aburrimiento
y, una vez más, sobre los estatutos del aburrimiento;
escribía con la pretensión de que lo calumniasen.
Escribía, se dice, con la ilusión de enemistarse
súbitamente, sin embargo, distraído o contrariado
se desconcentraba, dejando el trabajo a la mitad.

(Alicia Llarena, ed., *Poesía cubana de los años 80*, Madrid,
La Palma, 1994)

UNA FRONTERA

Calle del cementerio chino, una parcela que me
   ofusca,
el verdadero deseo es una rodilla de hierro
una vara que se dobla hacia un solo lugar,
un cambio de temperatura es el asombro
un cambio de aires es una oportunidad para el con-
   gelamiento.
Calle del cementerio chino, una parcela a la vista
nadie muere de una gotera en la cara,
nadie encuentra un coágulo de sangre en la acera
y lo notifica,
ninguna adolescente, carro loco de la selectividad,
quiebra su celofán y queda embriagada.
Calle del cementerio chino, una vitrina donde poner
   los dedos,
un jardín para que aprendan a correr los cachorros
   de galgo,
mi balanza cruje
como la rodilla de un veterano en la época de lluvias.

COLISIONES SECUNDARIAS

Dormir no es mezclarse con el hombre de Neander-
   thal
ni disfrutar un corto sobre jóvenes casaderas,
dormir no es sumarse a una expedición de castigo.
Dormitar es conducir en estado de embriaguez
pero dormir nos eleva casi rápidamente
a la categoría de pianistas ciegos,
la noche nos exige más comedimiento que buena voluntad.

178

Al desierto y a la emoción de sabernos un buen par-
     tido
a la semana bailable y a la tarea de memorizar
a la sensación de amanecer mojado como un hijo
     pródigo
sería bueno asistir en el temblor de la inocencia
es apropiado acudir dormido o cuando más semidor-
     mido.
Cualquier situación se embellece con la somnolencia
     bovina
toda clase de percances emparejan sus bordes
en la melodía del bajo voltaje.

EN ESTO SE EMPLEA LA FORMICA

En el ataúd fresco y a la medida
donde llegarás presentable hasta los dioses
en el mostrador donde te espera una aceituna o un
     duelista
en este apretón de manos se emplea la formica,
para asombro del marchante y gloria del depen-
     diente.
En la playa tersa y veteada de fuel oil
en el cadáver del navajo y la calidad del añejo
en el yelmo de los cruzados y en el pasto de la me-
     dia cancha
en la sincronización que logró un mundo en siete
     días
hay algo de formica y que nadie se extrañe.
En el escritorio caoba del sofista
donde te espera un milagro y un chiste de mal gusto
en el cielo de las portadas
y la bandera cromo de las paradas

en el paisaje al que asistimos segueta en mano
se emplea la formica
para asombro del plebeyo y gloria del patricio.

(*Encuentro de la cultura cubana,*
Madrid, núm. 3, invierno de 1996-1997)

ROBERTO TEJADA

CUERPO ACCIDENTE. EL YO PRECIPITADO

1

¿Habrá alguna diferencia entre esta miel y la lluvia?
¿El volcán una mujer dormida?
¿Queda el prado rumbo al norte?
¿Se podrá cruzar el río antes de que anochezca?
¿Habrá comida suficiente para el camino?, ¿algunos
    nabos y carne seca?
¿Hay animales que nos pueden hacer daño en el bos-
    que?
¿Podré llevar mi pistola y resortera?
¿Pondré agua a hervir antes de contar la historia?
¿Oramos antes de cenar y Vuestros dones?
¿Lo que significa el cristal quebrado y el libro abierto?
¿Por qué será invierno en el desierto?, ¿los nopales
    en flor?
¿Por qué está fría la sopa? ¿Por qué me suda la mano?
¿Hubo estrellas sobre todo en abril?
¿Fue el martes pasado?
¿Hay voces en el pasillo?
¿Trabajo que hacer en la mesa y en las sillas?
¿El agua en que me pueden oír pensar?
¿Demasiado tarde como para cambiar de parecer?

En el principio, cuando se consignó la voluntad del rey y comenzó a esgrafiar signos sobre la bóveda celestial, desde el lugar más recóndito nació una llama, una llama oscura, la Infinita, cual neblina que se formaba en lo aún informe, encerrada en el aro de la esfera, ni blanca, ni negra, ni verde, ni roja, sin color alguno. No fue sino hasta después de que la llama hubiera cobrado su forma que destellaron los colores flexibles, y desde lo más profundo de la llama nació la voluntad con la que se levantaron los colores para cubrirlo todo.

Mantenga viva la anguila hasta que vaya a despellejarla.

Mátela con un golpe fuerte en la cabeza.

Deslice el dogal sobre la cabeza de la anguila y –sobre un gancho en lo alto de la pared– cuelgue el otro extremo de la cuerda.

Corte la piel de la anguila aproximadamente 8 centímetros debajo de la cabeza, para no penetrar la vejiga de la bilis que se encuentra cerca.

Desprenda la piel, tirando fuerte hacia abajo –si es necesario, con unos alicates– hasta que toda la piel se deslice como un guante.

Limpie el pez, hienda el vientre blanco y retire las entrañas, mismas que se encuentran bajo la delgada piel del vientre.

"En tanto espíritu, es un infortunio para el hombre tener el cuerpo de un animal y así parecerse a las cosas; pero es la gloria del cuerpo humano ser el sustrato de un espíritu. Y el espíritu está tan ligado al cuerpo como a una cosa que el cuerpo nunca cesa de ser perseguido, jamás es una cosa sino virtualmente, tanto que si la muerte lo redujera a la condición de las cosas, el espíritu se haría aún más presente que nunca... De algún modo, el cadáver es la afirmación más completa del espíritu" (G. Bataille).

5

El ~~claro~~ del ~~bosque~~ es así: el ~~tejido~~ verde afelpado en el que los ~~nombres~~ de las ~~cosas~~ habían dejado de importar. Sí, hay un ~~sauce~~ ahí pero varios ~~abedules~~, también plateados. Hay una ~~nube~~ que obstruye el ~~sol~~, así que la ~~sombra~~, sobre el ~~campo~~ más allá, está manchada con ~~nada~~ menos que con una ~~obscuridad~~ variable. Ahí es donde sucede su ~~cuerpo~~ ligero, sus ~~manos~~ enormes hasta acá sobre la ~~cadera~~, un ~~ritmo~~ para llenar los hasta ahora insondables ~~espacios~~ de un ~~amanecer~~ apenas tieso de ~~luz~~.

6

Claridad ante la matanza y después lo oscuro: mi bebida la mano mi letra, sencillamente este goce, ¿qué tal si la piel por el oído y la luz enseguida el clima? Detener la figura de la muerte y su desgobierno al devenir en tu cuerpo tras el tiempo y el espacio con mi lengua y toda mirada por doquier y más allá o una y otra vez la forma dura del deseo. Acerca del desliz y el movimiento incesante, la mano suave sobre la página en blanco de tu piel nocturna: acerca de la lluvia, un lenguaje de primeros nombres cuando se acabó el dinero: lugares donde se había juntado el polvo sobre los objetos rotos y los estantes que los dividían: sostener que sopla el viento, de ahí la ropa colgada a secar en la pradera: sobre este vehículo extramuros, transfiguración más alta de una cada vez más fugaz intimidad.

7

HOY LE SAQUÉ FILO A MI NAVAJA. COGÍ 9 PERAS Y ME PICÓ UN ALACRÁN. TOQUÉ EL TAMBOR, HICE PAN, SOÑÉ CON UNA ISLA EN MEDIO DEL LAGO. ME DESPERTÉ. ME FUMÉ LA PIPA. MATÉ UN FAISÁN. DERRAMÉ LA ÚNICA COPA DE VINO QUE ME QUEDABA. ME DORMÍ DE NUEVO. ESTA VEZ SOÑÉ QUE LOS 4 PLANETAS ME AMABAN EN SU ÓRBITA. ENTONCES DESAPARECÍ ENTRE TINIEBLAS.

8

Pero el mundo entero en el tiempo y el espacio. Registro de las rocas, los primeros organismos, la vida y el clima. Tiempo de reptil, de mamífero, aurora de las especies. Semilla de la civilización, primeros imperios, de dioses, diosas y estrellas, chamán, sacerdotisa, reina, rey y la escritura en sí. Siervo y esclavo y

señor. Aquel jardín. Este libro. Los antiguos como ta-
les. De los príncipes, los parlamentos y el poder. De
la ciudad y el Estado. Órbita alrededor del Sol. De
comercio marino, el Oriente, esta Tierra Nueva. Todo levantamiento, emancipación. Fábrica, máquina
y el paraíso terrenal. Antepasado milenario, animal,
enemigo interior. Guerra de guerras: oremos: mi
voz*** por encima de la bulla interminable.

(*Las palabras son puentes:
A Octavio Paz en sus ochenta años*, 1994)

***

Brotes de vida y partes del cuerpo
en las que un racimo

como un alambre de púas
dando fe a la mitad de lo que yo

dije. Listón rojo de otra
demagogia   contener así el aliento

en lugar de la naturaleza
y lubricantes de placer

en el puño de la muerte.
Desde la sangre examinada

hasta abortarse la razón
cuando los gerundios de lo por

venir   engarzados como
imperativos de la publicidad.

Deléitese. No corra peligro.
Viva usted los que quiera.

***

La clase de línea a la que me refiero
cuando se destaza un tejido
es como contar cabezas cuando nos
moríamos por hablar de lo que no fuera el arte

entre excesos de imagen
o una toalla para absorber lo

asqueroso que hice

guantes ubres de una mancha, la interferencia
de televisores en la ciudad enterrada

es un círculo esbozado para encerrar
el después, lo relativo a la orilla

en profilaxis, ese museo de cera,
el hondo lector que se tira

de cabeza al fuego

(*PoesIda: Antología de poesía del SIDA escrita
en Estados Unidos, Hispanoamérica y España,*
Ollantay Press, 1995)

ANTONIO JOSÉ PONTE

DISCURSOS DEL DÍA DEL JUICIO

Yo, un oscuro cartero pedaleando, siento que así su-
    cede.
Hoy Día del Juicio se va a acabar el tiempo.
Pedaleo por las ciudades, salgo al campo
entro en los pueblos de una sola calle
y estos seres que dejan
sus sopas para abrirme las puertas
ponen la misma cara en todas partes.
Los que se salvan, los que se hunden
tienen el mismo rostro de adiós a todo esto.

Estábamos tan bien, dicen, con esta sopa
de lunes martes miércoles y viernes,
tan bien con nuestros perros orinando en el piso
con el trabajo que abandonaríamos la próxima se-
    mana
que nos apena recibir esta noticia.
Así que éste es el Día Final aparentemente como los
    otros
un día lluvioso en uno de los meses de lluvia que trae
    el año.
En adelante no habrá días de invierno
ni tardes de verano
ni noche oscura bajo las estrellas.
Un año más y seríamos dioses.

Había de ser domingo y que lloviese.
Todos los ángeles nos ven salir con nuestras capas
se mueven en sus sillas, sonríen:
pobres los hombres tratando de acabar limpios de
    fango
secos de lluvia,
alcanzando a un cartero para contarle que se ha equi-
    vocado:
no son culpables, no son santos.

Hoy es un día en una estación en que abundan las
    lluvias
se enfría la sopa
los perros pelean con los gatos,
mañana tiene que ser un día más.

(Alicia Llarena, ed., *Poesía cubana de los años 80*,
Madrid, Las Palmas, 1994)

CONFESIONES DE SAN AGUSTÍN, LIBRO IX, CAPÍTULO X

Largo rato hemos estado en la ventana;
a la ventana en que clarea el puerto de Ostia,
nombre de cristiandad y de molusco,
mi madre y yo asomados.
Hubiese visto quien entrase
dos figuras como de confidentes;
moraba entre nosotros la mansedumbre de la tierra
luego de la tormenta.

Nubes atravesando cielo y un estanque de aguas,
abiertos pájaros hacia otra inmensidad
apurando sus gritos:

188

hablamos de lo venidero.
Los pájaros que ciegos notarios de la sangre
nos hacen imaginar que somos otros
otras vidas viviendo
lejos de la ciudad y de las playas.

Pronunciábamos algo, nos callamos adentro.
Despertamos a la inutilidad de los discursos
donde la palabra suena para ser oída
principia y acaba.

(*Doce poetas en las puertas de la ciudad,*
La Habana, 1992)

ESTACIÓN DE LOS PECES MAGNÍFICOS

2
Autorretrato con monos

¿Cuál alzará la risa cuando yo deje este azoro
Cuando me siente frente a ti?
¿qué niño tuyo va a reírse de mi rostro
qué niño tuyo ya no va a creerme?

¿Quién me señalará cuando no desmigaje pan
y fulja el vaso de pinceles?
¿Qué terraza cegada por palomas
aguarda que me dé como los desollados?

El cielo está al revés en el menisco de tu vaso.
Los inquietos cruzan arañando las hojas
tienden la mano
pero no soy agradable para ellos

de otra manada definitivamente
esperando como nosotros
hurgando.

3

Que ya no tenga gracia
la estación propicie mis traiciones
(vuelta del animal
aún sintiendo miedo de sus vísceras).
Que el falo torne la ovillez
y torne el olor de la yerba cortada.

7

Pisando la dudosa luz del día
el orín que atraviesa los resquicios
abro la puerta al polvo
al brillo recocido que me espera.
Aventurarme a otra ciudad no muy distinta
a tanta boda tanto enlace de cosas
que no comprenderé sino muy lentamente
y este dolor de quien tira de la bestia
pero a la vez del animal de feria
de la lengua apurando el azúcar
este dolor tan claro
de no poder estar en todos los amores.

(*Un grupo avanza*, México, 1990)

LADISLAO PABLO GYÖRI

yo
inicio de elegías
en remisión de pertenencia
mi diestro   acopio desabrigado
apenas decursos
o relieve pabellón
laminadores en un glosario
cebándome a disecar galopante
nostalgia   con rodillo petigrís

nervio escuálido usó en ráfagas
a desecho de percances
amarillenta alevosía donde jadear
era estío empedrado
terco en cavidades de aborigen

fronda   enhorabuena pusilánime
tiesas al derruir
de relajación helénica
–como quijote truncable–
chasco que inducía un escarbadiente
cabe huerta
en el córner de lo exquisito

alegarán
transporte de recluso y euforia
sin esa rótula de amago
que place barranco del poeta

carmín
        pliegue mentir lapislázuli
halos que otean de callejero nomás

    franca personería
                a la sazón de felpa
rutilante sacudida de oídos
   enramada sin sermones mayoristas
demasiado estuario quizá
        para otro remanso de natalicios

si de fraguar esponjoso
              en conflicto disuadido
vértebra por linde
        asedia quillas en picada
resorte me desgrana de sosías
alumbrándole un manifiesto suburbano
        como arrimos de manantial

prócer por antonomasia
        averiado enseguida al poniente
cualquier predio de novísima factura
   tuerce sobre ojales
          una pronta reminiscencia
   que lo aturde junto al adobe

ilusión en tono mayor:

que las barracas hagan a un lado
        su dosis de esponsales
para colar el vértice
           hecho clemencia

evidente poetizar del obraje
                en consuelo y disculpa
urbe que presagia
        ánimo soberbio de relámpago

furor con parvas
a centésima de la ovación
                admira una maleta
como levadura de inmediatez

ya otorgan en éste
                su envoltorio
        por cobijas del frenesí
                un alba inquieto

auxilio que enturbia
    en cada tranco…
                lo untado
segrega mentas de póntica herrumbre

juvenil extravío a inferencias
fuga minúscula te arrojo
                por blanca corona aprendiz

hay versátil arcada cuando
                a un grueso de tambores
su orla aborrece en prosaica unción

índole colgante bonificó
                una estampilla
en célibe rumia sin guardapolvos

y un cutis
               atadura se enjuicia
de reojos en pleito
               pues añadieron cantimploras
en este riesgo de allegado
                         que tenacidades
no pretenden sino encauzar en mí
tardanza de nieves ingenuas

ya nos provocan esos roces
          entre fermentos de almanaque
aureolas en diurna prestancia

          incriminándome
                         se alejan años
cargados por esa tregua
                    al verte radiar
calcárea iluminación
          devora esa ganzúa a posteridad

un paracaídas que oficie de taburete
          al sueño tarifas pregona
su golpe de espinela kamikaze
incubando recrudescencias en la caña

          ladrillo del entrecejo
a puño infiltrado
conciliaron ante lauros del retrovisor
               sin ofrenda gimnasta:
"moraleja de cartonero",
aunque muestrario   su volumen
cefálicos personajes en pronunciamiento
          ígneo de terciopelos

194

nave
           que desviste un refocilo
por aguzado cautiverio

séptima   yema de naufragios
                plácito sabatino en el establo
que tambalea portentos
                       cuyo embargo
cariñosos fuegos aventajan
                imperiosamente al relevo

cónico erario
     –pace otra saliva bermellón–

¿qué frontera provee
hurgada majestuosidad de plano?

           encofraron de sobrevientos
tu erótica mansedumbre
                en la cebadura misma
otro filete
adhiere nata y perdigón amargo

           tenue persiana de horizontes
apenas venteaba una revuelta
                       de esquila-tentáculo
–¡compadézcasela!
   en un salario fogueado de ausencias–

urgen madeja extraña
                de ámbitos cansinos
por alguna pátina con señorial redada

cuerpeando irisables matices
si no lo avalan punzó

logró alquilar un vulgo
en pleno su canasta
a suerte que…
parcial imperio retoma
vistiéndose arrayán hincado
de tumbos en la frente calva

empréstito ese rapsoda
quiebra colega unos zancos
acuden el laberinto
egregio hazmerreír que emularon
desde la ventana del oprobio

sus turgencias de timbre
redundan a línea consabida
escollo que han amado
como distingo nutricio
¡esa litera callante!
abre onza de sospecha

donativo sin sulfuro
que apañe
jamás rentados
anzuelos de camarín

mecedora que arrecia
–el polvo sensual de los sepelios–

ya presiente sólo cantinela
contra hangares tumultuosos

apiñas lava...
por ella: "mi cabrestante latino"
              –casi de nombrarnos–
recrea un peldaño
                    ¡socávense!
impericia ha fraguado algún deceso
que compone celebración
          boqueadas auténticas fustigan
más que dilatorias ambigüedades
entonces   pare artero
              unas vetas de asonada
por cuanto vello caucáseo
              prometen los riscos,
los dardos afables

pléyade
          sutil acrópolis
       para esas ímprobas manzanas

¿y si nos cebaran...
                    iridiscentes?

tal el anuncio
jamás establecido sin ser gramo
                    aunque no rapiña
al empellón habíamos
       –yacen domingos de eso–
intitulado: ¡el fardo de avenencias!
que consuela
       porque así se dice: "coraje"

en quita de tosquedades
            su chanza reanudó mejillas
por inabordable oxidación
            como radio taconeaba
      un lecho de acólito limítrofe/

(*Estiajes*)

ROCÍO SILVA SANTISTEBAN

EL SUCIO

Arcano menor

PRINCIPIO

Para empezar ten en cuenta –me dijo
Uno y uno
nunca
ni la tríada ni el par.

SENTIDO

Entre las copas de un aguardiente seco
los hombres sobre las bancas recogen las monedas
mañana se enrolarán en el *Port Bou*
para atravesar de noche el Atlántico.

Luego se torna imprescindible
–esto lo dijo la Madame, años atrás–
dar una explicación general de lo que esperamos
de este sueño:

LA GRACIA DE LA MALDAD ESCOGE UN LUGAR
PEQUEÑO PARA POSARSE, LEVEMENTE

eso lo repite
lo repite con la boca entrecerrada:
la decisión final fue lanzarlo por la borda
tras el tiro de gracia.
(Yo lo vi todo:
sentada en la tercera fila con una gran bolsa
de palomitas sobre la falda, se escapaban
pero las cogía en el aire y luego cerraba los ojos
ante los sonidos crujientes)

PARTICULARIDADES

El color azulado de la piel lo delata:
siempre será dominado
por aquellas pasiones.

(Él no puede soltarse, me lo ha dicho: "no puedo,
querida, vete tú y déjame aquí, junto al mar…")

La camisa blanca: una fuerza brutal escondida
en los ojos,
la inmensidad de un movimiento ingenuo
tras un golpe mortal.

Y los imperdibles al lado del corazón –azul, igual
que el de los hombres– no tiene otra razón sino:
olvidar el terror.

AL OTRO LADO DEL MAR CAMINA ÉL POR LOS
SURCOS SU TACO ESTRECHO Y LARGO SE HUNDE
COMO UNA VARA DORADA.

Una vara dorada señala el ombligo del mundo.

200

Ahora el Sucio lleva los pies negros
porque toda oscuridad lo ata a la tierra
Y el tiempo es negro porque es implacable.

(Él lo había señalado: "no intentes
convencerme de lo contrario, estoy anclado,
soy un profanador y mi obsesión
es descifrar tu enigma…")

ORIENTACIÓN DEL PERSONAJE

Sueles encontrarme en cualquier lugar
y ya lo sabes, nada es casualidad.

El cuerpo de frente, la mano derecha levantada, el
    cuchillo
brillando a pleno sol y en la boca un globo que dice:

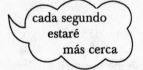

LA ACCIÓN SE TOMA EL TIEMPO NECESARIO PARA
SER EFÍMERA.

OTRO SENTIDO

No tenemos adónde ir
somos como un área devastada

Sobre la tarima de madera el muchacho cierra los ojos, las ojeras —delineadas con khol negro— le dan una imagen extraña, como si fuesen dos ojos aplastados.

Él se calla y me dice: "el paradero y las varas amarillas, recuerdo el parque de diversiones y el carrusel con los caballitos de madera descascarada o los conejos, gigantescos y rosados, la Montaña Rusa, un enjambre de rieles y chatarra, apiñados. No sé dónde estábamos, si en Buenos Aires o en Viena. Me tocaste la mano helada y yo boté el humo del cigarrillo que se levantó en una vorágine de vapor, bajaste la mano y deslizaste tu puño hasta mi bragueta. El aire frío me hincó la nuca. Tus labios rosados de frío me perturbaban, me siguen perturbando…"

LOS TRES PLANOS

Mental: provoca la conocida sensación de letargo:

("déjame, quiero seguir así, no me provoques…")

Anímico: los seres se asemejan por afinidad o por desconcierto, bajo la influencia de esta Carta son felices pero jamás podrán librarse el uno del otro:

("El ventilador sobre nosotros dos,
un ojo más allá que abre la escena al mundo
a través de las aspas me miras, tu ojo perverso…")

Físico: no hay casi nada por decir:

("¡aaaah! fue el aullido antes del dolor...")

RESUMEN

En su sentido elemental El Sucio representa un nudo bajo la piel, la repulsión por los espejos, tu boca abierta sobre el final del grito, el Hombre que por temor no es capaz de levantarse en las mañanas.

FINAL

En la nave que se aleja
sólo queda el eco del viento
atravesado por la bala.

(Condenado amor)

ROGELIO SAUNDERS

ASTARTÉ

Astarté de los senos de cobalto,
naciendo en la noche como el árbol del vino.
Pasividad del cuerpo de la diosa
en que la boca se hunde como en un mar estático.
Espesor de la espera, donde un parpadeo
es un siglo, y una hora un milenio.
Estatua viva de Astarté: arpa de sombra.
El sexo de Astarté: caracol de légamo y espuma.
El sexo de Astarté: silencio.
puro silencio de evanescencia mojada
como la flor en la miel oscura de la fiesta.
El morado sin tiempo de Astarté.
Canto del gallo en el vidrio de la sangre.
Terror dulcísimo del conjuro.
Tu nombre, Astarté, es suave e imposible
como una copa de cinabrio, que las manos no asen,
porque asir es abrazar el vaho de la noche,
ver con ojos ciegos el resplandor del rostro,
los ojos cerrados como dos lentos soles.
Dos monedas moradas, dos almendras oblicuas
circundadas por el abismo del cosmos.
Y el rumor sin habla ejecutando el rito,
en la noche sellando, con vientre y agua.
Seco tambor violeta en la instantánea
ausencia de cálculo y culpa.
Tú, Astarté, diosa de lo impremeditado,

del vértice en el triángulo, del vórtice en el vértigo.
Pintura esparcida en al aire sin desvanecerse,
sino reuniendo el sacrificio en tu frente múltiple
que tiene el sabor de luna de la medianoche.
Oh Astarté, lo que yo he visto
no lo merecen las pérfidas palabras.
Yo me he perdido a mí mismo entre tus carrillones
para reencontrarme en el tiempo luminoso y vacío
    de la alianza
Un raga suena constantemente en mis oídos,
acompañándome como si en lugar de corazón tuvie-
    se una cuerda.
Una sola cuerda, fina y asombrosa,
que late en lo profundo de mí como en el final de un
    bosque.
He tocado una sustancia, he amado a la hembra del
    ciervo.
He comprendido, Astarté. He oído el violín sonando.
No era el amor y no era tampoco el deseo
este instante sin instante, adivinando, sorprendido.
Era el cruce de caminos, la angulación del viaje
a mí ofrecidos como lección y como libro de horas.
El homenaje, Astarté, la unción definitiva
en el círculo de la familia: el anillo que no se rompe.
Ahora somos una sola sustancia con la noche,
con el fuego que consume y magnifica.
Somos hermanos en el beso final de los arrodillados.
Tu seno oscuro ronda la cinta prieta de mi boca
como el dibujo maravilloso de un cuadrivio.
Yo estoy en la cuadratura del círculo,
sumergido para siempre en la espesura del canto,
en el olvido sin olvido de tu nombre.
Mis labios han conocido el secreto y se han cerrado,
como las fauces del animal ante el sonido del corno.

Tengo el capuchón azul del sacerdote.
La noche entera es mía, la soledad es mía.
Míos son el avellano y el olivo.
Despojado de mí, vago en mí como el guardián de
    un río celeste.
Oh Astarté.
No tengo manos para el adiós o para el saludo,
porque el saludo y el adiós están grabados en mi
    frente.
Estoy en mi final, que es mi principio,
bebiendo como un recién nacido de la fuente dorada,
mirando sin ojos tus ojos abismales,
mi ombligo unido al tuyo por el fuego de Kundalini.
Esta pintura es el instante eterno de tu noche.
Esta noche es el eterno instante de nuestro matri-
    monio.

(Roberto Franquiz, ed., *Doce poetas
en las puertas de la ciudad*)

EL SOMBRERO DE LOS ADIOSES

Porque para cuando vuelvan
los días venturosos, y el estío
de pálido oro, y el arco
iris como una sonrisa sobre el campo,
todo eso que hoy no existe,
seré yo el que me habré ido
con mi canción triste, mi murmullo,
mi silencio como un morral en la espalda,
calle abajo, por sobre adoquines plateados.

Cada uno de mis pasos irá borrando el camino.

206

¿A qué quejarse, entonces?
¿A qué mirar hacia atrás,
si no habrá detrás, y delante
será un blancor confundido con la lejanía?
Lejanía, lugar de todos los nombres y las luces,
estancia sin fin, estrella del que vaga.
Lejanía, lejanía.
El dolor que en mí habla es la canción de los adioses.
Adiós a la era desnuda y al preciso
cerco de los días que rodeaban la casa.
La casa, el pino solo, la luna sola.
A su fulgor de plata, al silbido negro.
A las hojas moviéndose, a las sombras sin labios.
A la soledad helada y sin voz de los senderos.
Adiós a la amiga o al amigo
detenidos en el marco de una ventana,
recortados para siempre con su gesto.

Cuando todo eso ya no exista,
yo seré uno solo con la mano abierta
que extendida en inmóviles raíces
hundirse espera en la hojarasca, lenta,
oscura como el fango, y fría
como los espíritus que vagan en los cementerios.
Noche infinita, nostalgia, lejanía.
A ti te canto, libro de los libros,
biblia del caminante entre los círculos
de muda arena, brújula del que huyó
con la sombra cosida a la cabeza,
huella de la tortuga donde comienza el mar,
donde el dolor termina.

Tú, que recomienzas.
Tú, adiós de los adioses.

Tú, a quien no puedo nombrar,
pequeño como las cosas pequeñas,
doloroso como la risa de un niño,
desconcierto profundo de la certeza.
Tú, incomprensible.
Lo propio de tu existencia es no existir.
En tu contorno tiemblo, como una rosa en vaso
de vino, como un pájaro en el viento.
Tú, sombra en la que perduro,
animal cautivo, hocico húmedo
saliendo del follaje, oliendo, adivinando,
con un talismán colgado al cuello.
Fosforescencia del que vaga por los campos
como una ofrenda nocturna que se entrega
al alba indiferente, y al cercano
fin que se alza sobre un derredor de árboles.

¿Quién soy? ¿Dónde he vivido?
Yo fui, yo estuve, yo pasé
palpitando entre miles, con los ojos cerrados.
Y ya no fui más, no estuve
sino entre gotas indistintas que guardaban
como en una burbuja la dispersión del arcoiris.
Yo era el que parado en la puerta vagarosa
del sol elevándose en el cielo como un huevo de oro,
decía adiós lentamente, cual un viejo,
a las inclinadas y redondas mujeres de las montañas,
al rostro de la tierra lleno de cicatrices,
a los centauros suicidas que iban despeñándose
con las cabezas alzadas en la primavera del río.
Yo era, yo fui, yo pude haber sido
el que volaba en el sombrero de los adioses.

(*Polyhimnia*)

RAMÓN COTE

POEMA QUE RECUERDA A CARL SANDBURG

Ayer
un bus con delgadas líneas
verdes
pasó por toda la carrera trece
con las ventanas
caídas en desorden,
como las medias de las niñas
al salir del colegio.
Se fue con su viento
elevando a todo lo largo
una canción de risas,
de apresurada y espontánea fugacidad.
Fue lo más dulce
que pudo tener alguna vez
las dos de la tarde.

CARTA ROTA

Lisboa me debe sus labios verdes
y su vino trenzado en sus murallas.
Alza tu copa profunda, asómate
escondida en tu ardiente celosía
para rodear el sueño de tus sílabas
y morder contigo la fruta sagrada.
Iza los estandartes hacia oriente,

que una aldaba golpee tres veces seguidas
cualquier puerta
y que me abra de par en par el abandono
para saber que por fin he llegado a Portugal.
Pronunciaré tu lento beso, al viento
y las jarchas caerán como ramas secas en el río.
Abre tu nombre, dulce Lisboa,
para soñar el día en que a mi sombra se la roben tus
     palomas.

(Poemas para una fosa común)

CABALLERO GÓNGORA

Era dulce
verlo en las tardes tan solemne
armado con su mejor atuendo
lucir orgulloso
el apagado brillo de sus condecoraciones.
Era dulce
verlo en las tardes tan solemne
cuando la derrota le cubría para siempre su arro-
     gancia.
Terco varón de tosca nervadura.

EXTRANJEROS

Los extranjeros tienen una forma de alejarse
que muchas veces se parece al desprecio.
La timidez
de un vagón de la Western Pacific,
pintado a propósito para filmar

alguna película de vaqueros en el desierto de Almería,
o el verde de Carruagems Portugueses
que recuerda a un camaleón incómodo
descubierto de repente,
o el ruso, molesto de tener pintado
un caballo que responde
a la desvaída emoción del jinete
en una parada militar.
Más tarde formarán parte del inventario,
pero por ahora siguen conservando
ese extravío mudo
de las cosas olvidadas,
el dolor guardado –golondrinas– con que callan,
el anillo equivocado de las despedidas.

(*Informe sobre el estado de los trenes...*)

JUAN CARLOS LÓPEZ

A

En los anales de nuestra misión latina
Reluces, farol
Entre mares corrientes,
Arrojados de los labios

Carcajada macabra
La cara atada
La daga amada

Punta abierta
En la lengua encajada

Balada
Abra cadabra
Nada

I

Ayudadme palabras letradas.
Ayudadme a pasar la tarde a otra tarde más;
aunque sólo sea para escuchar el crujir,
el crujir de los andamios de papel abandonados por
    sus obreros.

Ayudadme vocales abiertas a atrapar las consonan-
    tes coloradas;
aunque sólo sea para pintarme a solas los labios.

Ayudadme vocales cerradas
a no hacer pasar las prostitutas de Atenas;
aunque sólo quede con mi soledad.

II

Muerte omnipresente.
Castigo de pobreza que no abandona y finaliza.
¿Quién eres si ya fuiste lo que será?

Ayudadme palabras letradas;
aunque sólo seáis gerundios de la misma muerte.

***

Vida
duradura
he aquí el hombre
destapando silencios
bajo el cielo de la boca

(Inéditos)

213

RICARDO ALBERTO PÉREZ

PLATEA

Perdí una edición de los poemas de Álvaro de Cam-
    pos,
era una mañana de invierno,
un tiempo donde la duda nos arruina,
alejándonos de la lucidez cercana a la lámpara,
al aceite, al contorno de la boca
que hemos perseguido con torpeza durante las no-
    ches.

Recuperaba a Nietzsche
(con la extraña alegría
que siempre me concede esa comunión)
a través del extenso poema Ultimátum;
era vertical la complicidad
que me hacía avanzar en la lectura
con aquella voz portuguesa
templada por algún signo de la ciencia.

Quise trazar el círculo de significados
donde con frecuencia pretendemos salvarnos
de lo que hiere,
y se le busca un estuche, una envoltura
para no estropear el don de nuestras ejecuciones.

A veces la armonía del mundo
se vuelve hacia nosotros

y nos suspende la tiza a una altura imposible,
entonces no queda otra solución
que transitar por el borde de ciertas palabras
como si en algunos de estos elementos
se fuera a reconocer el cuerpo amado.
Uno descubre que permanece en un claro
desprovisto de cualquier parapeto,
no hay otra compañía que tu propia incapacidad;
es decisivo entender en fracciones de segundos
que el espacio de la pérdida no debe ser llenado,
hay que estar muy dócil ante él,
entenderlo en función de escalón,
saber descubrirle su conducta de guía.

Cuando esto se logra hasta lo obsceno es aceptado;
tiene un lugar en la poética
en el escenario.
Pienso ya en lo obsceno
como en un animal abundante en virtudes
sin alterar el horizonte de una sobriedad
que ha venido siempre a protegerme.
Esa mañana de diciembre
al descubrir que había extraviado el libro
de Álvaro de Campos,
tuve muchos deseos de gritar la palabra ODESA
figurándome que el esmalte de los barcos anclados
en ese puerto
estuviese disolviendo el sentido de mi culpa.

CONTRA EL IMAGINARIO

En los últimos meses
ha tratado de armar una nueva ficción,

215

de rescatar la relación con mi madre
como si la mitología
ayudara a hacerla menos inmaterial.

Se trataba de una conversación,
de un encuentro
con Bernabé Ordaz,
sobre el match de Sevilla,
con don de miniaturista
comentando las jugadas de algunas partidas.

En vida de mi madre
jamás hablamos sobre el ajedrez,
parece ser que el único juego que le interesaba
era el de las briscas con la baraja española.

¿Para qué entonces, ahora que yo siento placer
cuando la asumo a través de alguna textura,
de alguna frase que ella repetía con frecuencia,
trato de hacerla cómplice de una situación tan com-
    pleja
con la que jamás habría tenido relación alguna?

Comenzaron mis inclinaciones por el arte,
estudié música, asistí con entusiasmo a conciertos,
funciones de cine, recitales de poesía,
siempre —en el momento que le contaba de esas co-
    sas—
me respondía:
"siendo niña conocí a Alejandro García Caturla,
vivía apenas a unas cuatro o cinco casas de la mía
y más de una vez puso su mano en mi cabeza".

También me contaba
las retretas que daba todos los domingos
la banda municipal en la glorieta del parque
de su pueblo, Remedios (uno de los más antiguos
de esta isla, con una iglesia que siempre me ha im-
    presionado
por su hermética sencillez).

Si mi madre me contó todo eso,
¿por qué en el momento de recuperarla
a través del territorio del poema
no pensé en hacerlo con esos propios recuerdos?

Parece ser que tenemos
algo enfermo en el tejido de nuestra mente,
que es lo que ofrece mayor jerarquía
a lo que no nos pertenece, a lo que no vivimos,
a lo que no heredamos,
algo que nos vuelve impersonal
y deja su toque de esquizofrenia.
Por eso después de intentar tantas veces escribir
ese texto sobre mi madre, Ordaz y el match de Se-
    villa,
he desistido.

Lo único real es que ella pasó
la mayor parte de los últimos quince años
internada en clínicas, con un deterioro progresivo de
    su psiquis,
hace dos que murió, y si quisiera conversar con
    Ordaz
quizás él no podría atenderla,
porque como algunos países necesitan el mito de un
    gran futbolista,

otros no pueden prescindir de un ejemplar director
del hospital para enfermos mentales.

Hace algún tiempo regresaba del aeropuerto,
de despedir a alguien,
los enfermos se ocupaban de la perfección del césped
como si la clínica fuera un barco
y estuviesen logrando deconstruir la ondulación del
    mar
con unos motorcitos ya envejecidos, provenientes de
    la URSS;
ellos parecían ignorar los efectos de la corriente al-
    terna.

(*Encuentro de la cultura cubana*,
Madrid, núm. 3, invierno de 1996-1997)

ZOÉ JIMÉNEZ CORRETJER

LA NOVENA

A Zoa Lloréns Descartes, mi abuela

Ruega por nosotros,
Oh, San Gerardo,
para que seamos dignas
de alcanzar las promesas
de nuestro Señor Jesucristo
(Novena a San Gerardo)

Oh San Gerardo, me quedé sin conocerte
veintenas de plegarias te recé
miles de veces pronuncié tu nombre
Nueve días corridos acompañaste mi cuerpo
bendiciones celestes posaste en mi vientre
Patrón de las preñadas
San Gerardo
nueve días, nueve meses
Ave Marías desbordaron mis labios
libritos sin epístolas
bañaron mis placeres
de rosarios y hojas rosadas
me vestí
de oraciones en fila para alabarte
porque mi abuela me dio el librito
de tu novena
porque las mujeres preñadas se acercan a ti

porque una relación extraña
hay que tener contigo
nueve días de estos nueve meses
Y pedí tus biografías
oh, ángel de niños
porque quería desentrañar tus abismos
y tus milagros
porque cada santo tiene que levitar mi mente
y quería saber más
sobre tus manos
San Gerardo Mayela, qué hiciste
cuántos niños devoraste con tu gracia
cuántas mujeres empelotadas como yo
tragaste
Para qué los rosarios
para qué las escafandras doradas
y tantos crucifijos
Para qué repetir tu nombre nueve veces
¿Por qué nueve?
San Gerardo
Porque mi abuela quiere que te rece
porque me gusta rezarte nueve días
en este año de mil novecientos ochenta y nueve
Y acaricio tu nombre
Y me abrigo de escapularios
y rosarios
y vírgenes lactando
por el don de la maternidad
por un alumbramiento feliz
le he sido infiel a todo por ti
en los nueve días
con un collar de avemarías amarrado a mi boca
te sostuve
sin cansancio

llamándote
con esta nota constante
gota golpeando
el universo
para llamarte
tu nombre como puerta de luz
San Gerardo
porque eres santo y mi abuela también
y mi hija que viene tomada de tus manos
sin saber por qué
ni quién fuiste
ni qué hiciste
con todos mis rosarios y escapularios
y hojitas de colores en el cofre
y todas las tarjetas
y tu nombre
que me dirigen hacia ti
te he nombrado tal y como debe ser
como dice mi abuela
que se hace una novena
al pie de la letra
seguí las instrucciones
unas pausas
entonaciones
avemarías y padrenuestros
porque la vida es un rosario
porque cada minuto se entrelaza
en el tiempo
y esta cadena de tu nombre me acerca al cielo
oh San Gerardo
que mis masitas de carnes
sangre y ombligo
broten feliz
que este rezo se convierta

en un arcoiris de perlas
Recordaré por siempre estos
nuevemil días
de mi templo,
preñada, preñada, preñada,
preñada, preñada, preñada,
preñada, preñada, preñada,
Amén.

(Rubén Alejandro Moreira, ed., *Antología de poesía
puertorriqueña contemporánea*)

ARTURO YOUNG

EL PASO

He nacido en otra ciudad que también se llamaba
El Paso. Recuerdo el Coliseo, donde bromeaban pa-
yasos,
luchaban los Guerrero, y cantaba Antonio Aguilar.
Recuerdo los rostros cubiertos de polvo en la primavera.
Recuerdo el parque Ascárate, donde esquiaban las
almas atrevidas en el lago azul reluciente.
Recuerdo el hambre con que volvíamos después de
escalar las montañas Franklin.
Recuerdo los clavados gloriosos que se echaba la
gente en las aguas oscuras del Río Grande.
Recuerdo cuatro soles que siempre nos vigilaban.
Recuerdo al viejo del carrito amarillo de madera
que vendía dulces.
Recuerdo la Plaza de los lagartos, donde no había
lagartos, y la vida ocurría sin que nadie se diera
cuenta.
Recuerdo a la anciana de la esquina que también
vendía dulces, pero que todos acusaban de ser bruja.
Recuerdo los tecolotes invisibles, que solamente
aparecían en los periódicos durante las
"moonlight sales".
Recuerdo la iglesia del Sagrado Corazón, con sus
jardines artificiales que nos hacían mirar
al cielo, y el pan bendecido por el Padre

223

Esteban que pasaba por maná. (A la vuelta
estaba la Tienda del callejón, donde los
padres pobres encontraban juguetes lindos durante
la época navideña para sus niños).
Recuerdo las visitas a Juárez, donde el abuelo y yo
siempre encontrábamos ofertas: los zapatos de
piel, la raspa de limón.
Recuerdo que abundaban las peluquerías con sus
caramelos a las entradas, y recuerdo al peluquero
jocoso del centro que sabía de todos los
chismes más recientes.
Guardo memorias de noches tranquilas en que se
escuchaba a la gente cantar.
En aquel El Paso que me dejó, yo sería un extraño.

(*Fronteras,* México, núm. 1, primavera de 1996).

CARLOS AUGUSTO ALFONSO

LA CORRIENTE DEL NIÑO

> *ciertos informes indican que el niño*
> *puede volver.*
> Del periódico, científico rasmusson.

claro que puede volver
el niño siempre puede volver
ora desgraciado ora pálido ora mandado a volver
he sabido de nubes condicionadas a quedarse antes
si el niño llora en cali   en potosí   en alabama
entre los filminutos de los empleados de la card vaid
desequilibrado ante los ojos del vio y no vio
más allá de su impacto económico
de su manera fija de proceder
como corresponde a zonas castigadas por disciplina
aguas tibias y calientes cocinando de lado la ancho-
    veta
llevándose a miles a reforzar el ecologismo
a sentar base de reuniones interminables
navidad de natividades con qué cara puede uno pre-
    sentarse ante la fao
y pedir ayuda
a mucho y le compran el traje al bengalí que firma
miles de protocolos en este mundo
los bancos de cereales cuenta abierta a la polinesia
claro que puede volver

claro que el niño puede volver siempre está volvien-
    do el niño
que necesita para la natividad que no sea que no sea
    que
entre la virgen por una puerta salga la virgen por la otra
a intervalos de los sueros con un levín en la nariz
el niño mama repugnado de tragar aire
el niño muere mata y se ríe es válido
nos esperan congresos sobre la corriente del niño
por los días 24 hay también terror
las cosas quedan donde siempre paz y fertilidad
a qué hora abrió los ojos qué ángulo prefirió mirar
cómo se durmió
el niño siempre estará volviendo puntual
con su reloj del hambre.

EXCURSIÓN AL MURO DE LAS LAMENTACIONES

lejos de cualquier animismo o de ofender a nadie
no sé cómo cae en mis manos el folleto cada cosa sig-
    nifica algo
para uno solo   por ejemplo
abraham significa creador de naciones y su hijo is-
    mael   padre
de arabia significa rumbo a seguir
al encontrarme ya en Vía dolorosa compartiendo mi
    falta de educación   en medio de la nueva cruzada
sin tocar hechos de sangre ni lamentarlos en el muro
    como el pagano más hábil
a la excursión tiene derecho cualquiera que haya to-
    mado el fresco
sin intención del blanco españa y por supuesto
quien no vaya maltratando de palabra

excursión al muro por la parte de afuera afrenta o
        sostenido
en los umbrales de jaffa no canto victoria con la tho-
        ra en cierne
cada cosa significa algo para uno solo
jerusalén significa ciudad de paz
alguien recostado a un fantom me autoriza confun-
        diéndome con
un dominicano   me arreglo para entrar en sepul-
        cros en la cabecera
está mi amor   maría lava su cuerpo   en la cabe-
        cera está mi amor
sólo cuatro pues tiene la puerta   sólo cuatro pies
para hacerte indeseable o enemigo público o profeta
        en tierra de nadie
excursión al muro de las lamentaciones
emoción de la ira
dormirte en extensivos implorar homenaje a tu fami-
        lia de uno
7 días para crear albúmina y el mundo
7 veces destruida la ciudad   1967
8 días dura la guerra de los 7 días
presidente Dayan introduce un papel en el muro
que se lee shalom que significa concordia
excursión de cualquiera al muro de las lamentaciones
cada cosa significa otra de frente al muro
y toda clase de gente a engancharse contigo si vas pa-
        ra allá
llévame tal pecado o trae la astilla correspondiente
si me pongo cianótico el jueves
de seguro el viernes iré a trabajar.

(Alicia Llarena, ed., *Poesía cubana de los años 80*
                        Madrid, Las Palmas, 1994).

227

Soy hijo de mi hermana
he fundado un país.
Yo soy hijo del viejo
que escapó de Sodoma,
cobrando unos favores que "alguien" le debió.
Fue Lot el que no quiso entregar los emisarios,
fue Lot quien se interpuso entre ellos y el pueblo,
salió antes que lo vieran, por un golpe de mano,
salió cuando las llamas, lo llamaban "mi Lot".
Yo venía en mi hermana, como una contingencia
en mi sangre ya habían los baches de Gomorra.
Era tímido entonces,
un proyecto de salvados anillos.
El prócer de ojos como el fuego,
preguntó con los ojos qué fue de su país;
sabía que cenizas, se lo dije callado,
me expresó con los ojos que quería morir.
Sentí arrepentimiento, porque Lot ya no estaba,
atropellé palabras en las cumbres
que hicieron de mi madre
una estatua de hervíboro regazo,
y a mí un sedimento enfermo de poder.
No guié a las familias por voces y acertijos
no hay brechas en los mares,
el dios se envalentona.
Si el dios se envalentona
ese dios es pagano,
no para el sacrificio.
Uno a uno le ofrezco mis mejores soldados,
uno a uno devuelve convertidos en sal.
No más supersticiones, no me atrevo a mirarlos,
el creerme con mancha ha invertido la fe.

No más adversidades, mañana no habrá pueblo,
seremos una mezcla del bien y del incesto
cuando el nómada entre y aproveche el impasse.
Yo sé que me visitan las humildes covachas
y la hacen vaciar gaveta por gaveta,
todos buscan la hora de un levantamiento,
y encuentran maldiciones en una lengua muerta.
¿Serán sus concubinas que no tienen palabra?
Yo sé que se me quiere por hijo del infiel.

Volveremos a vernos le decía a mi padre,
si no es hoy es mañana,
en la tirantez contra natura,
en los jinetes que jamás se emparejan
porque uno de ellos es múltiplo de mí.
Yo les doy una suerte que los desmoraliza,
la jauría no entiende
que es un viejo resguardo,
y mi esclavo me dice que no quiere beber.
Una herencia les dejo:
no vamos a matarlos por errores de astros,
no vamos a matarnos por el miedo a Israel.
Piensa que tu anticuario es tu paño de lágrimas,
el que hoy nos bendice
por abajo socava nuestra Arabia de apuestas,
de versiones de piedra.
Solamente un milagro evita el holocausto
de que me entierren vivo, con la cara a Canaán.

Soy Moab de equilibrio,
patricio con los años.
Yo soy esa reserva de lágrimas y agua,
yo soy esa cortina frente a nubes de polvo,
yo miro sobre ustedes con el solo mirar.

Veo a los anticuarios limpiando unos adornos,
veo miles de tribus que llegan a asentarse;
yo sé que Lot ha muerto,
y lo están preparando
para que mudo diga
le regalo el país.

(*Poesía y Poética* México, núm. 19, verano de 1995)

JOSUÉ RAMÍREZ

FUTURA

Habrá alfalfa en belfos vacunos, tierra cálida,
una madrugada poblada de grillos,
pollo suculento, artesanías, tenues chupetes en tu
    cuello, ánades negros,
el perpetuo silbido del viento;
hará calor y habrá un par de nubecillas grises en la
    alta expansión del cielo.

No diré palabra o haré mueca que rompa tu equili-
    brio tramontano [esparcimientos de arena],
te observaré desde una semiventana en la colina
donde crecen las flores olor menta.

Es indiscutible que sea lunes,
vistas de azul tu filosofía morena y pintes de amarillo
desnudos femeninos con la boca color sepia,
las manos tensas; serán las cosmovisiones del martes,
tu faena al mediodía del miércoles, hasta la implo-
    sión del sábado
entre los mil afanes del alcohol y la carne.

Hirviente al soplo húmedo de mi voz en tu voz
cuando confundamos nuestros nombres a través de
    las yemas
borrando la memoria —calada de adioses y hasta-
    prontos pesadísimos— del tacto el tacto.

231

No dudes que en mis palabras se filtre el XIX
y diga recibir tu luz en la penumbra de mis pasiones
como un agua bíblica en el deshielo de las horas.

Lejos —esto es ilusión y estupidez—
el centelleo de la ciudad iluminará al bobo
que se autonombrará neoclásico o postmoderno pa-
    ra amarte.

Dirás: el péndulo de las lilas es líquido,
mientras esparces con pincel sobre el terso lienzo pé-
    talos largos.

Disminuida mi erección, tu celo, hablaremos
—qué incómoda exposición los sentimientos— de
    cuánto puede ser y en lo personal propongo ave-
    rigüemos.

CONFESIÓN

Sigo nada nace silencio, el instante
—alcohol, herida, viento— cae
—hoja de luz en objetos convertida—
para cumplirse: vértigo
                ¿Cómo extraer
rutas de las huellas que hay en los objetos?
Palidece una palabra, la otra es un volkswagen des-
    compuesto.
A la derecha, tres diccionarios, sed.
Al frente, una pluma de quetzal, un trigo.
hacia adentro, el agua engomada de alguna frase su-
    burbana.
A la izquierda, una ventana; el mercurio

recapitulando los estallidos del sol, un paquete
de hojas donde se vuelca el mes de marzo
de 1972: tenías examen, la clorofila
verde azul era en tus palabras; junto a las hojas
un diario —aguardiente, somnífero— no leído,
vivido en el blancuzco cementerio de la piedad, el
    asco.

Rodeado (en medio de una pregunta menor), sin en-
    contrar
la desnudez de las ruinas en las crónicas de mi in-
    fancia,
semiagrio de acidez estomacal, descubro
en las redes del silencio las membranas —arrabal,
    risco—
de un alfabeto roto. (Cintas negras caídas sobre la
    mesa
me recuerdan el espagueti de Piccato; la radio, Mar-
    cela,
un día en la playa, acídula
ebriedad tus líquidos blancos.)

Sigo nada,
el silencio se esparce. El tiempo en el silencio
habita las teclas, el licor,
la consustancial desnudez de Leány Korsóval; el ruidal
de afuera apenas me deja pronunciar, pero
aunque fuera a mitad del océano
no bastaría el silencio.
Revolotea
una canción de rock en mis oídos; vibrátil, fluores-
    cente, límbica.
Herrumbre las palabras proferidas —rendija, grupa—
    volcadas sobre el silencio, invertidas.

233

(No basta. Tres tazas de café con un poco de brandy.)

En un kiosko lo supe siendo niño: no basta
descifrar la trama curva o húmeda de lluvia
cuando los días enteros caen como monedas en un
    costal sin fondo.

La mirada. Ver. Vaya que nada modifica y sí bifurca
apenas los límites íntimos −a veces ignorados−, de
    quien
−dice− desnudo escribe una mañana
para que la −mella, trapo, documento−vida pase.
(¿Esperando qué?) Polvo de monte en los zapatos, en
    la espalda
las huellas del sol, los golpes bajos que los gestos
en su tránsito hacia el olvido provocan: silenciosos,
    indiscretos.

No así. Importa poco ahora si estoy o no acompañado;
tras tijeretazos a aquellas sombras que al centro del
    parque
en intervalos −seis o nueve− parecen discutir, me
    evado.
Pero esta evasión no da, como la puerta trasera del bar,
a una calle vacía, un puerto, un río
(...hoy transcurre la primavera y no es exactamente
    marítimo

el aire: breve, recuerdo la postal de una ciudad ni-
    vosa).

Nalgas, brazos, ojos, nariz, saliva y sexo
como cimientos −baratija sensible− o perfil, sombra,
    asidero

234

para transitar cuatro estaciones, algunos cuerpos,
la recta o las curvas de una carretera,
para minar de frente la viruta sobre el piso de la cer-
    vecería,
para esto aquello otro, y la cita
con un destino provisto de ficciones o vello, poros
por donde circula el aire, por donde se filtra la ilu-
    sión
de encontrar una rosa negra, una droga
que, como la lluvia, haga palidecer las ventanas, tu
    silueta,
el cuarto, la carne y sus excesos, en fin, la tinta
—tesoro, hielo, cuchillo— que absorbe el papel
—territorio del desliz— bajo la lámpara, el rubor y el
    deseo.

TRANSFIGURACIONES

Muda nube de azul cobalto, muda
perpetua su forma inacabada, extensión ilusoria.
Ora lince, ora águila líquida de vuelo aberrante y so-
    bre ella el cielo translúcido.
Ora dragón de escamas de humo, guardián de qué
    aurora que no nace todavía.
Ojo de ballena, paladeo de ornitorrinco vuelto pirámi-
    de azteca, oreja felina. Desprendida siempre en
    lentísimo oleaje la nube clarea, resina del aire.
Transfiguración inaudible sobre tanto rostro incon-
    gruente.

Vuela en círculo un ave que aísla puntuaciones hui-
    dizas.

235

No pongo al ave —ella qué— como símbolo, sello o
  alianza; describo su vuelo
bajo la nube ora caracol y no hace mucho balanza de
  un horóscopo indio;
lección del deseo que Cernuda convirtió en labios.

Nube que es cultivo del sujeto aberrante bajo un cielo translúcido.

(Hoyos negros)

JOSÉ SANTOS

REVISIÓN

Me niego a revisar este escrito
porque ya muy poco sentido le quedará.
La letra y la grafía
desaparecerán dentro de poco, sea en la máquina in-
    fernal,
en las prensas detenidas,
o en las mentes agotadas
de los que ya nada recuerdan.
Volverá la fogata y la piedra,
y esas también cederán
en algún momento al inglés.
Me da con recordar al hombre
que llamó a este juego
el mero español.
Al final lo consumieron las tinieblas.
Yo también moriré desentendido,
desconocido por los que queden
hablando lo que acaso permanezca
al calor de algún nuevo origen
y de la destrucción.

LA NIEVE

Si hubieses vivido Severo
la habrías visto, blanca,

la nieve sobre La Habana,
la nieve sobre San Juan,
la nieve sobre Jamaica,
la habrías visto
en el mes de enero,
la habrías visto, tú, el primero,
blanca cae, Severo,
sobre todo el caribeño reguero
en calma,
en silencio,
nublando el horizonte
de colores cancerberos,
nublándolo, blanqueándolo
hasta imponer su velo,
hasta someter su ruego,
hasta olvidar su fuego.
La habrías visto reclamar
el trópico descontento,
el trópico inclemente,
el trópico resultado,
el trópico y su ocaso
metafórico e imprudente.
La nieve entera,
la habrías visto en silencio
sobre todo el caribeño reguero.
Si hubieras vivido, Severo,
la habrías visto,
tú,
el primero.

EL SIMIO

El simio que habita en mí
reclama su identidad.
Hurga desesperado ante
la visión que lo aterroriza:
Ha perdido su pelo,
se le afinan los dedos,
y sus ojos han perdido para siempre
la melancolía de lo eterno.
Los actos se han vuelto palabras,
y su voluntad, engaño.
Ni el monte es, ni la selva,
ni el árbol: ya no recuerda.
El simio que habita en mí
reclama su identidad:
no quiere más nombres,
no quiere más palabras.

(*INTI*, Providence, núm. 45, primavera de 1997).

GONZALO MÁRQUEZ CRISTO

EL LEGADO DEL FUEGO

I

Hoy todos los muertos son niños.
El primero en volver ha sido el cuervo
y a la vida conduce una puerta horizontal.
Sombrío siglo de hijas pródigas…
¿Cuántas huidas quieres descender
si la luz renuncia a no ser llama
y el parpadeo del corazón provoca espectros?

Mensajera de lentitudes, emprende tu regreso,
adelántate al amor —inmovilidad única—
y conoce el monólogo del próximo héroe
la medusa guardiana del éxtasis
el miedo que intimida tus monstruos
y otra aurora muy antigua.

III

¿Y quién protege a la luna?
Si no cicatriza el nacimiento…
Si la aventura de mi voz no tiene retorno
y el pasado es privilegio del suicida…
Si sólo duermen los volcanes
y nadie conoce memoria de su sangre:
(la danza del color que no puede

240

continuar sin engañarnos…)

Primero domestica tu sombra
y abandónala en rincones propicios
para mendigar la flor que aún titila.
El destino existe en litorales de sueño
aunque la verdad –gran separadora–
no pueda consolar al viento
y tus huesos aprendan a decir
temiendo la forma de los lápices.

Ahora me ejercito en la sorpresa…
Surge el bufón de los entierros
y Lázaro –amigo de la muerte–
enseña que nacer
es despojar a la memoria.

Ahora el tiempo me suplanta.
Pródiga es la tumba
y mientras el rito nos proteja
en ti habrá una muerte inalcanzable.

V

¿Cuántos milagros anula tu frecuencia?
El tiempo desanda mis pasos…
Alas de fuego funden caras al olvido
o se soporta el desamparo del recuerdo.
Toda ganancia es para la noche.
El horizonte se aproxima
y mañana lo tendremos
ciñendo nuestros cuellos.
El ahorcado: árbol sin raíz
es nuestra lámpara oscura.

Amiga, cerca de ti crece la tierra,
un gusano recorre tu vientre
transformándote en abismo
y lodo blanco rapta los tabúes...

Yo provengo del sueño.
Acuso a la memoria:
forma ulterior de la fuga
pero desconozco la extraña geometría
usada por la muerte.
Tú, aunque eres invisible...
¡harás amanecer!

VI

Entre guiños marinos la durmiente
regresó al lugar donde nació
segura de que el amor —contrario al sueño—
no requiere de testigos...
La desdicha escindida de lo bello
perpetuaba la sentencia del momento
y todo verdadero escondite me mecía.
El cazador más solitario que la víctima
hizo del olvido estratagema de retorno
y renunció al hallazgo cerca de ti...

Nunca pude ver al timbalero del mar
pero la noche gimió bajo hondo jinete
y tú, magia, escamoteo del origen,
durante el renacimiento de los ojos
redimiste al dios que vendrá
imponiendo el nuevo itinerario de las sombras.

VII

¡Anuncio que los más altos silencios
provocan el relámpago!

Amiga, siembra en los umbrales...
Heredera del mejor morir, conoces el punto
hacia donde miran siempre los muertos:
occidente, rastro continuo del despojo.

Antes la única frontera fue el crepúsculo
hoy, al llegar a la superficie no me detendré:
nuestro lugar no se encuentra en los espejos...
Aquí nace el ángel por la llaga.

Al omitir amor, instaura su pacto el inmortal
y cuervos vuelan debajo de la tierra.
Aquí, no el asesino —los suicidas—
son grandes seductores...

(Tantos moldes forjamos
de la palabra más sonora
que la hoja de la lengua es otoño interminable
y el triste olvidado por su contemplador
cae haciendo ondas en tus ojos...)

Ellos eternizan la tarde,
en las alturas quebramos su mundo vertical.
¿Acaso solamente
podemos compartir al victimario?
Hablo de una soledad semejante a ti
hasta el final de las auroras.
Hablo de la tempestad que logrará calmarnos...
mientras el prisma de tu sexo

descomponga oscuridades
y nacer sea el único crimen
que obligue al retorno.

IX

Aquí, la muerte es más sutil:
la víctima no tiene a quién aparecérsele.
Una estrella recién apagada
es parte de la denuncia del ciego.
A tu lado será posible
devolverle a los dioses el lenguaje
y aprenderemos a elegir la tempestad
de nuestro naufragio feliz.

Ahora puedo sospechar: te levantas
y haces reclinar al fuego.
El amor deja de ser innecesario:
quien nace está cerca…
pero el sobreviviente nunca tiene regreso.

La rosa es oreja de luz, las manos
pianos diminutos en la piel
y la sombra: silencio del cuerpo,
hoy puedo delatarla…

Nuestra única inocencia
estaba en culpar amaneceres
y ha dejado de existir…
Ya las sirenas del espacio
hacen su primera aparición.
Amiga, única prueba de mi visibilidad…

(*Apocalipsis de la rosa*)

JORGE HERNÁNDEZ

EL SUEÑO DE LA CUERDA

I

frente al laberinto ariadna sonríe al ver la cuerda
iluminada por la luna
adentro
teseo espera a su amante
lo del minotauro es sólo un pretexto

II

al rodar los cuerpos por el suelo
la piel emana un olor animal
aparece la cabeza de toro
la cola se alborota
los cuerpos brillan
el minotauro levanta las paredes
descansa

III

no lo saben
pero despertarán cuando la cuerda
ya sólo sea un hilo de sangre
y el rastro se evaporará antes de que escapen

IV

el minotauro devora a aquellos que lo sueñan

HISTORIA VERDADERA DEL INVIERNO

verticales en su aire
dos ventanas ansían abrazarse
en la caricia húmeda del vaho que las cubre
buscan su reflejo una en la otra
y abrazarse
ciegas amnésicas sin alas ni tramoya
abrasarse

tras de ellas
el tiempo trabaja su máscara de polvo
el fuego envejece
se deshidrata el aire

en su intento
los cristales lloran su decepción
de vidrios sin azogue
su sueño inalcanzable de espejos fracasados

QUÍMICA
                                    para Wayne Fickett

un manojo de minerales
eso somos
el agua sola no escalaría la oscuridad
como fuente

sin la luz de los compuestos
esta sangre perra
qué sería

nada
el sueño de un charco
ladrándole a fantasmas

HOMELESS

a Sandra Cisneros

los años se calzan
un zapato sin medida
una bota de piel humana
y la atan con historias de odio

sin calcetines
las ampollas plagan
la tersura de los días

señor tiempo, ¿no le duelen?
¿no se cansa?
¿no se le acaba la suela?

ay señor tiempo
si fuera tan amable
de regalarme sus chanclitas

CREDO DE LA ESCLAVA

Creo en dios como un detergente que me entrega
limpia a quien me quiera usar.

Creo en la santísima trinidad (agua, cloro, jabón) de
inmaculada inseparabilidad.

Creo en el trabajo duro como en cristo, en levan-
tarme de madrugada como en el evangelio.

Creo en el amo y rezo en español, sabiendo que
Changó de todos modos me entiende.

MARÍA BARANDA

EPÍSTOLA DEL NÁUFRAGO

Tiempo hubo para la audiencia de los peces,
y los Escribas de la ley y la doctrina,
en la cadencia oculta de la noche calma,
dieron el nombramiento a los dioses de las aguas
buscando la alianza de los carámbanos,
la suave acometida de los rezos.

Y tiempo hubo también
en que todos los seres
de ciudades y villas,
de los largos tramos de tierra fresca,
hechizaron la lumbre, el agua
y el cálido linaje de los vientos.

Allí, los hombres de barro
pintaron el estremecimiento de los suelos,
    los atrios del desierto,
    los pórticos del alba,
    la calle de los perros.

Levantaron los muros de antiguas montañas
con la lejanía tatuada sobre el pecho,
como una voz sin dueño ni leyenda
o como el silencio que llevan los hombres de lejos.

Allí, gritaron las flores, las rosas
que sólo aman el rojo filo de esa noche.
Y para ellas, los hombres del tiempo,
escucharon el anuncio de los pájaros del norte,
el bello canto de sus muertos:

La tierra dormitaba
del otro lado de este mundo.
Bajo la ensoñación del cielo, amplia
era la superficie de la tierra,
con su cetro de sombra y de blancura
y sus lugares de piedra y arena.
La tierra hecha presente
tomaba forma humana
con el sabor de la demencia:

Yo soy el hijo, el padre, la madre,
el sufrimiento y la fuerza.
Soy el rugir del faro
y de la fábrica, el lento
acontecer del tiempo.
Soy el aroma del mar sereno,
la tempestad,
la fiesta de los viejos.
Sobre mí, fundo los días
del abejorro y de la abeja,
las bodas del hombre y de la bestia,
la idea de los demonios de ojos vivos
que danzan y conversan ligeros
y nos legan tan sólo el eco.

La tierra, en voz más baja,
arrullaba las yerbas de su piel.
La tierra vieja. La tierra fresca.

Era inútil cerrar los ojos,
dejar el testimonio en las plazas:

"De mar a mar entre los dos la guerra."
El grito del marino,
el cuerpo de la espada.
Y allá,
rebelde, incauta,
la hija, la hermana,
la sola ausencia de la mar:
la tierra en voz más baja.

Nosotros, tendidos ante los sueños de la Reina,
supimos la ley de los ciclones,
la estación de las fábulas,
la ronda de aquellos cielos de gaviotas.
Con el oficio de los Embajadores,
hablamos del homenaje de ríos y lagunas,
de convenciones, de extrañas cortezas,
de rutas de enebro y engarzadas palmeras.
Hablamos de la genealogía de los Templos,
de la piel de tejón, del paño de jacinto,
de la ceremonia en el límite de la impureza.
Nosotros, pájaros del norte, encadenamos
los lazos del Cielo y de la Tierra.
(Di la verdad hacedor de mentiras —reclama la Reina
con su boca de buenas familias.)

Pero la noche ha penetrado esa parte de la memoria
y las mujeres elevan sus rezos
en el hastío de tanta ofrenda.

    ¡Loadas aquellas tardes calmas
    en que las naves,

cual cabras ciegas, regresaban
a la memoria de su patria!

¡Loada la familia de la cerasta,
el rey de los rebaños,
las historias contadas cara a cara!

¡Loadas las bahías abiertas
a los juegos de la luna,
a las correrías de noches asesinas!

¡Loado el hacedor de muelles
y alacenas
donde se guarda la gracia y la maravilla!

(Ah, respiramos el placer del orégano
y del canelo. Estamos listas para morir
sin remordimientos.)

¡Bendita la noche que alberga tanto sueño!

Y por encima de la dicha y de la gloria,
te rogamos Señor
nos concedas saber el curso de los vientos,
la ruta del primer crujido
y las leyes que erigen a los lirios.
Abriremos Señor
nuestro cuerpo
a las sierras, a los cañaverales
y a todo monte polvoriento.
Seremos dóciles
a los sudores de la selva,
dulces
a las voces de la piedra,

fieles
al tubérculo y a las costas
donde se comercia con la malaria
y la griseta.

Y por los labios de una dulce adivina
se desliza esta parte del sueño:
bajo el sabor de las yerbas amargas
y el espolón del viento
va el hombre a la tierra antigua,
enviado a las cimas
y a los campos de labranza
para dejar huella en los libros.
El Adelantado
que nombra las cosas secretas, los abismales
y las figuraciones de la piedra, mastica
una hoja cultivada bajo la luna
y su pensamiento
desciende a las raíces de aquel imperio.

Cargado de historia
voy al principio de toda mirada.
Y con el don del altísimo,
privilegio ramas y montañas.

Echados los bateles a la mar
buscaba la bienaventuranza.
A más de seis leguas nacía la playa de sus anhelos.

Hete ahí, vasta en hojas de palma.
Harta en clases de peces,
ornada con la risa de sábalos y jureles.
Eres el cuerpo de una virgen,

la túnica de la esperanza.
Sobre ti señalaré el honor y la casta.

¡Ah, Tierra de boca de mujer,
desata toda mi fuerza,
la gracia como fruto que anida
en la palmera de mi cuerpo!
Estoy solo y tengo miedo.
Lejana está la otra ribera de mi sueño,
el puerto donde mujeres de sal
pintan la faz de los deseos.
¡Huéspedes de mi dulce memoria,
coman de mí,
de mis recuerdos,
quiero oírlas roer el pan y el queso,
ser convidado como un buen remedo
para los muertos!
Palpita la tierra adentro de mis venas.
Siento la caliza, el fósforo,
la tregua de la raíz sin fondo.
Y la saliva de la tierra me encuentra
—hombre solo—
como a la hoja del lentisco
en el silbo que viene del mar.

Verde era la hoja que recordaban los viajeros.
Sentados sobre el viejo barandal de madera,
celebraban los caminos donde el cenzontle
anunciaba la vida.

Entregado al placer de los bledos
y de las jarcias,
veo las cosas inmóviles y absurdas
pensando en las mujeres que se ríen a solas.

254

Tu olor era la lentitud de la mañana,
y la tibieza de tus senos
motivo de un prolongado silencio.

He soñado con tus grandes extensiones
de frescura,
con las sombras que se estremecen
bajo los malecones
y con altos árboles crecidos
bajo la indiferencia de la luna.
Te he soñado viva
entre mis manos
con tu rumor de especies
crepitando,
con los textos divinos
escritos en tus entrañas,
con los despojos
de todo cuanto te es ajeno,
con las flores silvestres que envilecen
los templos y las máscaras.
Te he soñado remontando
la historia de mis palabras
como una yegua overa,
lenta y armoniosa.

Tú, señora de nombre azteca,
fuiste penetrada de ola en ola
por un blanco ejército de gaviotas.

¿Quién como tú?
"Quebrantada por el mar
estás ahora,
sepultada en lo profundo de las aguas."

Tierra
de toda cosa y todo hombre,
ávida en regiones
y títulos de comarcas.
Tu presencia es mi ley,
tu extensión
la amarra más sagrada.

Tierra,
devuélveme la voz,
deja que mis sueños
sean frecuentados por la verdad
y que la noche se abra
al esplendor del agua.
Despoja de mí
toda historia y condúceme,
tal una colonia de pólipos
o una hambrienta hidra
en busca de la dafnia,
a la memoria del mar divino.

Dios,
que la noche ha roto sus amarras.

(Fábula de los perdidos)

256

JULIO HUBARD

CONSULTA DE SALDO

para Álvaro Mutis

I

Si huelen a humedad las Escrituras,
si se han vuelto inaudibles, ilegibles,
si deambula un rumor intervalado,
que canta alguien que fuiste y se quedó
perdido en las salinas de la sangre;
si aquel rumor te vicia la memoria, reverbera
y hace surgir los muertos que enterraste
o que desenterraste en tus catástrofes;
si el páramo en que siembras tus noticias
se afantasma cubierto de palabras,
rumores que repites en silencio,
entonces qué, qué alianzas celebrar
con nada bueno: el mundo es justamente
eso que ves ennegrecerse por tu culpa,
por tu propia culpa.

II

Si la palabra está perdida es por su culpa.
Nada le costaría entrar a saco
en la frente del bruto y reventar,

así, de una buena vez, la estupidez
enorme con que arropo esto que habito.

III

Uno debe oírlos, pero no aliarse con sus huesos, ellos
rezan a la disolución, al polvo, aspiran
a danzar esparcidos en la luz, a generar
millonarias, brevísimas constelaciones una
y otra vez. No pactes tus plegarias con tus huesos.

IV

Serás el espeleólogo de tu conciencia,
prenderás la linterna de tu frente,
te internarás en la espesura gris
—que no te pertenece, eres minero—
de tus sesos y de tus sucesiones,
usarás el piolet y el sicoanálisis,
dejarás de sentirte ensantecido
por todo lo que invocas y equivocas:
serás obtuso por tu propia cuenta.

V

Los muertos no regresan, se arrinconan
perdidos en las grutas de uno mismo,
y la memoria —eco de pasos, voces, voces
encavernadas y lejanas—
nos los cubre de cuarzo y de salitre.

258

VI

La muerte va lamiendo los orígenes,
surge del fondo de las minas,
poco a poco, la vemos esquilmar
nuestros afectos, nuestra casa, la cabeza,
puebla de espectros nuestras galerías
y nos convierte en huéspedes de niebla,
bajo la parda luz de su linterna.

VII

Todo sería milagroso
si tuviéramos ojos para verlo.
Bueno que lleguen a la noche
los adioses, los duelos
y ver volver el polvo al polvo.

VIII

Bueno que no amanezca el sol lloviendo
arena y pedernales, que un instante
acabe y surja otro, tal vez nuevo,
también irredimible,
y cada plop de Dios intermitente
sea un llamado al alba de las cosas.

HÖLDERLIN DESCRITO POR EL CARPINTERO ZIMMER

a Jaime García Terrés

El hombre casi ya no habla,
no quiere ya tocar el piano —su piano.
Ha dicho que las fuentes de la vida
están envenenadas; que los frutos
de la sabiduría son nueces huecas,
un engaño. Mire Ud.:
hoy ha ido al ciruelo y ha traído
estas basuras...
Sabe sus cosas, sin embargo; es
como un heraldo que olvidó
el mensaje. Tal vez
ha elegido estas ciruelas
—y, mire: magulladas, secas—
como la cifra de los hombres...
Y ya lo ve:
después de la verdad vuelve al asombro
y va y se sienta al sol, de nuevo, un rato.

EPÍSTOLA A STA. TERESA DE JESÚS

a Manuel Hernández

Tere,
    Ha tiempo que quiero escribirte por que sepas
claro por mi boca y no por otra lo que pasa.
Ni estoy para contarlo ni estás entre los vivos,
pero suceden cosas lamentables
con los castillos que dejaste:
ya no son lo que fueron, qué va, ni mucho menos.

260

Las moradas interiores son pocilgas
y el castillo, un multifamiliar.
Ropa tendida en los pasillos,
barandales, niños mugrosos y desatendidos,
plásticos que cubren las ventanas interiores.
Uno cierra los ojos para ir adentro, a casa,
estar con uno mismo, o con Dios,
y se encuentra con prójimos abominables;
hoscos unos, las otras apaleadas
y todo huele a la comida del vecino.
Dentro de uno hay largos callejones con maleantes,
malos bares, buenas mujeres sin arrepentir.
¿Sabes?, así vivimos y, lo peor,
se ponen cada vez mejor las fiestas
y más caras las rentas. Iremos a dar,
todos, a cuartos de azotea. Es el destino
de nuestra clase medio baja del espíritu.

JLL

Decía medioeval
con un cigarro puro metido en la *o*
y con el humo se ahogaba y con el asma y no atinaba
debajo de los cocoteros y a tantísimos centígrados.
Oía —sólo oía— rechinar allá las torres, otras tierras.
Discurría sobre aquella ajena fe de alfanjes
y la luz escayolada en un escudo.

(Inéditos)

261

JUAN CARLOS RAMIRO QUIROGA

*94, may., 20**

tela la sobre tinta de mancha una apenas
sorprende los mañana la mientras
peces de llenarla a dispuso se
promiscua habitación la en yacido

muerte la de rigor el por comido
fronterizos muslos de cuerpo un bajo amaneció
(cruel más es realidad la)
mañana la en

asquerosa intimidad una de gestos o
estériles rostros sólo dibujó
decir es
boca la en corazón el con
solo caminó anoche
más
acrecienta se ego su pero egoísmo el superado ha
hermetismo cierto en refugia se y
amigos los hacia recelosa actitud una tiene
Bacon vez tal

poema un es no aquel cuadro el
cuenta dado ha se
esbozo un en mente la ejercitar de después
balcón del ventanas las abiertas dejado ha

* Estos poemas se leen de abajo hacia arriba y de derecha a
izquierda.

seda producir a reduce se
existencia mi

prostituta joven una a entrega se
príncipe el mientras

Buda del mano la era
rama aquella que supe pronto muy

vanidad insuflando
solo vivo

célibe y
pobre es oficio mi

capullo un en acaba
lentitud mi hecha está
aire y mucosa de

prematura vejez una asalta me
ponientes rojos de acompañado

ramaje un en exilio mi sembró
Buda del mano la

desiertos los de espada aquella
luna menguante la entregó y

profundamente habló le alguien
eso pensó bien no y

lluvia la y
acaso trueno un

demasiado sido hubiera pero
hablar quiso

interior el en brotó
límites sin luz una

entornada parecía nube la
abrirle a vino nadie
nada dijo no

pies sus bajo
brotaban leche de ríos

melancólico y suave tornó se
jardín olvidado el

objeto un llevar de cansada
sombra su llegar ver para
puerta la en esperar dejó se

silente amablemente
silente era todo
ascendía mientras

vacía era senda su
terreno elemento ningún
sombra ninguna

aguardarlo parecía
alto lo en nube una

eleva se iris arco un donde
campo del término ese a llegó

(*Errores compartidos*)

D.G. HELDER

II

Un haz rielando en las aguas negras del antepuerto
y entre explosiones de motor un par de remolcado-
    res van haciendo girar
ciento ochenta grados al Barbican Spirit, de bandera
    filipina,
entre cuyos mástiles negros se hamaca tendida la es-
    tela
luminosa del año que pasó, número mil novecientos
    noventa y uno,

los ojos de una piba en el umbral del New Seúl Elec-
    trojuegos,
el blanco amarillo de esos ojos por debajo de unos
    iris glaucos ponientes,
gotas que permanecieran en la rama sin secarse
para caer con diferencia de segundos, clip
clop, sobre una pila de diarios,

casas de mampostería con fachadas neoclásico-italia-
    nizantes,
paredes de ladrillos revocadas imitando el corte pie-
    dra,
mamparas de vidrios coloreados, los herrajes de las
    puertas,
rejas de hierro forjado en balcones que cuelgan

266

sobre una calle adoctrinada por los afiches de cam-
      paña,

dos viejos, el de la derecha agarrando con la zurda
el brazo derecho del que va a la izquierda, cruzan la
      avenida,
visiblemente alcoholizados, el de la izquierda afe-
      rrándose con la derecha
a la pierna izquierda del pantalón de su socio, mule-
      ta uno del otro,
y viceversa, llegan a la meta sin caerse, fin de la
      aporía,

barcos fondeados, barcos de poco calado y más
      barcos
semihundidos, la chatarra flotante como ejemplo de
      negatividad,
un NO rotundo, vestigios de una vida consumida y
      que no fue enterrada
como ese almacén EL TRIUNFO, los muros de ladrillo
      colorado
entre la vuelta de Berisso y la de Badaracco

donde el cielo se pone del mismo
color de la arena vítrea que ahí se amontona,
o como esa otra ferretería vieja de Barracas cuyo
      nombre
en la chapa oxidada lleva un buen rato descifrar
pero al final emerge, casi un recuerdo: DEL POR-
      VENIR.

Vi los barcos podridos las quillas de esos barcos tam-
    bién
podridas las gomas los tarros maderas corchos bi-
    dones
todo lo que flota por naturaleza o con ayuda del aire
que contuviera en su interior flotando en el agua bofe
en la pura inconciencia con visos de aceite quemado/

2 esculturas sobre una misma cornisa en ruinas y
    lonjas
de nubes color salmón fletadas desde el partido de
    Lanús
por un viento soplador: mutiladas, los fierros del es-
    queleto
emergían de cuellos y muñones; el yunque del trabajo
en ensamble con la rueda del progreso, dentada/

y vi agachar la cabeza a un viejo para asentir ante un
    igual
que negaba, también con la cabeza, c/u a c/lado de
    una puerta
en la fase final de la metamorfosis que los converti-
    ría en cariátides
de un despacho de bebidas en la ochava de Quin-
    quela y Garibaldi,
si ellos mismos no eran Quinquela y Garibaldi en pe-
    do tostándose al sol/

y en el corralón de productos siderúrgicos Descour
    & Cabaud,
arriba, en la fachada, donde había un reloj falta el re-
    loj y el hueco

no fue tapado/ y al botero que cruzaba a esa hora de
la isla
a la ciudad con una familia entera vestida para el domingo
le faltaba una pierna, lo que no le impedía trabajar/

y en la Vuelta de Berisso, siendo las tres, las tres de
la tarde,
frente a las curvas de guitarra de la San Ubaldo Ma-
tildo, que se viene
abajo siguiendo el destino de otras cincuenta barracas, vi
una chata arenera que rozaba lenta, dócilmente con
el flanco
una boya conoidal, sin tripulación a la vista/

hojas de pasto seco enhiestas brillar entre los adoquines,
copos de pelusa blanca flotar sin viento con semillas
rojas
cada uno en su riñón, sombras de palomas no, reflejos
en el agua negra, rastros de espuma congestionada
en pilotes de lo que fuera un muelle, engrasados/

y en la costa de Avellaneda alzarse dieciséis por cuatro
silos color té con leche pegados unos a otros como cigarrillos,
patrulleros de la Federal en el puente nuevo,
dos agentes apostados en la baranda, uno hablando
por radio, otros registrando los camiones/

y en la Arenera Warjen vi un especie de actor de re-
parto

269

en overol y gorra verde oliva manipular las palancas
    de una grúa
marca Menck, las piedras de un carguero iba sacan-
    do para
tras una serie de maniobras en la más completa sole-
    dad
descargar en tierra firme, donde un montículo ya se
    formaba/

grúas Osgood, Bucyrus, Nortvest, Menck, etc.
todas con afiches de la Lista Verde en grandes letras
COMPAÑEROS GUINCHEROS Y MAQUINISTAS
DE GRÚAS MÓVILES SIGAN CON LA VERDE
POR UN SINDICATO CON IDEAS REALISTAS/

y la fábrica de chapas de hierro galvanizadas Ostri-
    lión
con su logotipo un híbrido de león y ñandú mal di-
    bujados,
el destacamento policial, un corralón de chatarra
y la yunta de salchichas de la Agrupación Nacional
    de Scoutismo
ladrando contra el alambrado a cada uno que pasa/

el puente del ferrocarril y, paralelo, el otro puente
    desde, donde, vi
el crepúsculo en marzo caer sobre la barranca, sobre
    la villa,
caer de lo alto a lo bajo sobre lo negro, sobre ranchos
    humeantes,
sobre ramas de cualquier árbol seco, secas, y zarzas
    trepadoras
de flores que el viento restregaba hasta aburrir, has-
    ta matar/

270

y vi, con los ojos pero vi, de espaldas bajo las mismas
nubes ya avanzadas, la piedra sucia de smog, bajo la
    T de la cruz,
los ángeles del campanario de Santa Lucía en núme-
    ro de cuatro
asomar por encima de un tapial con alambres de púa
    y un cartel
de chapa en rojo PELIGRO ELECTRICIDAD sobre
    blanco/

y una fábrica de galletitas y enfrente, escrito y raya-
    do a la vez
con birome negra en la puerta de un petit hotel esti-
    lo túdor
MI VIDA SE CAE A PEDAZOS NECESITO ALGO REAL
    (FB '92)
y arriba en el friso dos bestias aladas cabeza de león
    cola de dragón
sostener con las garras un escudo cuarteado en for-
    ma de aspa/

y vi ese otro que dice PELIGRO CABLE 25 000 VOLTIOS
en el puente del Ferrocarril Roca manufactured by
Francis Norton & C° Ltd, de Liverpool, consulting
    engineers
Liversey Son & Henderson, de Londres, desde don-
    de vi
(leí) NOICUTITSNOC sobre el edificio de la estación/

seis palmeras dos de las cuales estaban mochas y
    SAMPI S.A.
sinónimo de autoelevadores/ y estuve enfrente y vi
    la cúpula
8ctogonal de la Sociedad Israelita Sefardí Or Torah

con las tablas de la ley + la estrella de David + el pa-
    rarrayo
una cosa encima de la otra en equilibrio perfecto/

y a la vuelta las tres torres de Santa Felicitas, erigidas
    en 1872,
el campanario en la del medio, inservible, con un án-
    gel que la remata/
la placa del Mercadito Sirio de Abraham Laham e
    Hijos/
la fábrica de ascensores ACELCO desmantelada y sin
    un solo vidrio sano,
entre las ramas de los plátanos un reloj de agujas tra-
    badas una en el 4

otra en el 5/ las ventanas ciegas de los pabellones
    nuevos
nunca terminados, del neurosiquiátrico/ y vi, ya lo
    había visto
tantas veces en las cajas de cartón, nunca en el muro
    de una fábrica
amplificado hasta sobrepasar el tinglado de los gal-
    pones,
al ufano y fornido cuáquero que personifica

las virtudes nutritivas de la avena Quaker / y vi/ y to-
    do eso
que puede verse de un tirón enfilando para el sur el
    este el oeste
por encima de los muros del ferrocarril y por debajo
también lo vi/ y a pie hice el recorrido hasta Huracán
partiendo de la CGT/ y pasé por la ferretería Del por-
    venir/

272

el puente rosa iluminado en la tarde vieja por una serie
de nuevos reflectores añadidos a los dos de un lado,
  dos del otro
faroles de origen cuyo amarillo pobretón antes daba
  un aire veneciano
y es tragado ahora por la blanca, metálica, inadmisi-
  ble luminosidad,
y, hundido su reflejo en el agua negra, vi, bajo el arco del puente

la concha de la Shell, y cañas verdes en la orilla que,
  como se sabe,
también es negra, el monótono ruido a fricción hasta tarde y desde muy
temprano de las máquinas serrando bloques en la
  marmolería
de Carlos Campolonghi, y un alambrado caído a dos
  perros y un caballo
dio acceso a un basural, tascaban y ramoneaban en
  la mugre

los restos de una era que ni vos ni yo llegamos a conocer, ruinas
de fierro vidrio y ladrillo del aserradero, virutas y
  aserrín en el piso arrasado,
en las grietas de las paredes desmanteladas, el agua
  entre los pilotes engrasados
y los neumáticos del muelle contra los que topaba un
  remolcador
o hubiese topado si las aguas conservaran sus ame-
  nas propiedades

una de las cuales, es, su movilidad/ flatos y bazofia
  en el vaciadero,

273

esas cañas, otras cañas, la villa en la barranca otra
    vez al cruzar el puente flojo,
matas y enredijos con raíces que buscando trinchar
    algo podrido
emergen por ahí entre los desperdicios de esa landa
    luctuosa,
entre el carbono y el óxido, que son el punto final/

XI (ACÁ EL AGUA ESTÁ MUERTA DE VERDAD)

El sol deformado tras un culo de botella
en un cielo con emplomaduras sobre
la cabecera del puente, negros los fierros,
negra el agua, gris sucio el smog por toda conciencia
fluctuando en la tibia compota otoñal.

Fletar muertos de una orilla a otra la misión del bo-
    tero,
cada muerto con su moneda debajo de la lengua
a modo de peaje, pero este que rema de memoria
en el agua que hace globitos, quince golpes
de remo cada vez, iguales en técnica, frecuencia y
    empuje

hacia una playa de óleo y dispersión, barro, pelos,
    paja,
detritos alquitranados, el muelle de teclas entre ca-
    malotes
de un verde flema con flores que son
cada una una paradoja, este botero hundiendo,
empujando, hundiendo, empujando
el remo en el agua con visos de azul en lo negro,
de morado en lo azul, no es el botero sino un botero

274

al que le falta una pierna, no importa, se arremanga,
los que transporta tampoco están muertos, mustios
tras doce horas de trabajo, a lo sumo, y sin nada que
    decirse.

XXIX (UNA PORQUERÍA FLOTANTE)

El Automne en primavera amarrado al dique
frente a los docks remodelados de la Pontificia
Universidad Católica, un remolcador
expuesto durante años al pillaje
y del que nadie tiene ya nada que arrancar.

Envarado en un sopor de anacronismo
naranja y ocre, cabecea contra las aguas duras
como un petiso —sol y hollín de un paisaje
con elevadores de grano que no sirven más,
silos reventados y playas de conteiners.

En suma, una carroña en su lugar podrido
a imagen de la cual tarde o temprano,
terca alma mía, vas a alcanzar la paz
en tu abyección, y no, como pensabas,
cuando el tiempo coronara tus esfuerzos.

En las terrazas, los hijos sobrealimentados
de la alta burguesía, con las alas del sol inmóviles alas de halcón planeando en lo alto,
dormitan, flirtean, repasan los apuntes, fuman,
toman soda y café, leen el diario, se doran.

(*Punto de vista*, Buenos Aires, núm. 57, abril de 1997)

275

EDWIN MADRID

NI SIQUIERA LA CIENCIA ES UNA VACA SAGRADA

intrigado por la muralla china
dediqué gran parte de mi vida
    a su investigación
en el principio
    me pareció imposible
que pudiera existir
    pues con su material
se pudo haber edificado una ciudad
    para diez millones de chinos
Así motivado por mis cavilaciones
    indagatorias
estudié ingeniería civil
    obtuve el masterado en construcciones
dicté cursos
sobre diseños de puentes
conferencias acerca
    de la arquitectura greco-romana
pero la muralla china
me seguía haciendo despertar a media noche
    hasta que decidí
    realizar una expedición al tíbet
para recoger información
de las rocas utilizadas en la construcción
    a mi regreso
alemania
quiso contratarme

para que reconstruyera el muro de berlín
   mafiosos de todas partes del mundo
         hacían cola en mi oficina
      esperanzados en que les firmara
contratos
      para la edificación de sus bunkers
            mas hoy cuando he descifrado
                     los misterios de la gran muralla
me despierto
intrigado por los castillos de arena
   que mi nieto
      construye sobre la playa.

SABER QUE HAY UN MAÑANA

Esto de despertarse
y saber que hay un mañana
y mañana al despertar
saber que hay un mañana y mañana un
            mañana y mañana un mañana y
pero vos sabes que si despiertas
un lunes
a la mañana siguiente será martes
y el lunes es lunes
y el martes martes
vos sabes que el lunes se trabaja
el martes se trabaja
y los miércoles
y los jueves
y los viernes
pero esto no quiere decir
que todos los días son iguales
porque el lunes es lunes

y el martes martes
aunque los siete días
podrían ser domingo
y el lunes lunes
pero vos sabes
lo que importa es saber que hay un mañana.

POEMA BÍBLICO

mi hermano asegura
que cuando suba a los cielos
san pedro le dará con las puertas en la nariz
    y no le quedará más remedio
que regresar a la tierra esto funcionaría
aunque san pedro
ni se percatará cuando él
ingrese al paraíso
arrase con el árbol de manzanas
quiebre la vajilla irrompible de maría
se tome unas cervezas con los once apóstoles
    y salga por la puerta de atrás
    antes de que eva
    lo declare su huésped.

(*Revista Casa Silva,* Bogotá, núm. 8, enero de 1995)

278

LOURDES SIFONTES GRECO

LOS GERUNDIOS DEL JUEGO

a Oswaldo Trejo

I. ADAMANDO

De acercando ludiendo requebrando resquebrajando
en pródiga mensura a la dama que atisba negándose
al atajo burlándose del dando y del temiendo y acaso
del temblando de aqueste caballero que de casi re-
zándole le implora los favores, desto que pareciéndo-
se al arrojo se figura redibujando miedos, de tanto
que sintiendo y el besando que tienta y que se abru-
ma doblegando el queriendo de intenciones, arriando
las banderas dama en vilo que cediendo en rozar media pulgada mientras él tan cebando sus pensados
en llevándola al lecho, levigando en difícil contienda
sus síes y sus noes feblecidos, la dama reservando
acendrando robando sus inicios, él crispando quemando en sí encendiendo ahogando foguecendo fuego siendo de a poco que de a mucho y acaso conte-
niendo quién sabe qué de abriendo su agonía, a las
palabras tanto recurriendo que de amores fablando
fabulando burlando que palpando como ciego que
queriendo el midiendo de contornos, de uzos, de vestigios, convenciendo postrándose adorando y leudan-
do sus presuras, que ella otorgando, que no en balde
del cortejando se pronuncia el ruego.

II. ASURANDO

Es quemando. Ya quema. Arde. Chamusca. Ardiendo es lo prendido. Luego del adamando, los calores se aprestan a tomar la palabra y a recitar un sorbo de abrasandos ahumandos estallandos fogueandos levantando el talud de los hirviendos. ¿Inviernos? Dije hirviendos. Bullendo el dando de la dama que ahora disponiendo del yacer los futuros, el caballero agita con su arguyendo el don de los gerundios el ahora siendo cohabitando en favor de los rindiendos, porque es de la ignición la potestad, del tiento del fogar es la adarga de robos del sabiendo, porque el tiempo no es otro que el que moviendo se alza en regodeando el fin de un mentido encendiendo sin muriendos del cuándo conocidos.

III. DEVALANDO

Separándose están ahora del rumbo en tanto construido, garandando sin dando ni tomando ni bebiendo ni hilando los deseandos del comienzo que siempre reiniciando en albores, no recordando ahora la fustigante ciencia del presente que no dejando fueros del azar entretanto fallecido, separándose sí de los abadernandos del cortejo y la cuita, marañando el albur con las distancias, arañando el reflejo de lo quedando casi en sedición, doblegando el refugio, retándose a las cuevas del guardando sus rostros, amantes que en amando creyendo el oneciendo del agora que muerde y que se ofrece, amantes que en soltando las badernas, que en olvidando idilios van al casi bruñendo los despojos, al casi aniquilando las lúdicras reyertas de la unción.

IV. ESTORIA

En la baraja, en las ojeadas a los *verba singula*, o en los versos de Arnaut de Maruelh, se advierte el gerundiar mágico y sin flexión que tienen en común amor, palabra y juego. Del palimpsesto al garbo, del riesgo a la fragura, ser voz sólo es de ser escriturando, de pronto lecturando, de apalabrando el don del silabeando, de retando el cortar del mazo abrupto, de sabiendo que el trovador que antaño gestara sus rigores se adivinó escribiendo sin término ni embozo, escribiendo en ahoras mientras el nos leyendo sus ságitas del eros y el entonces. Valga de los amantes el enxiemplo: gerundio todo, el tránsito es pulsión de un espejismo. No hay antes sin un siendo, no hay después sin habiendo sin bregando sin alegando el cuándo fecundo deste agora.

(*De cómplice y amante*)

ANA BELÉN LÓPEZ

LA PIEDRA

Abajo
al final del acantilado
hay una mujer
con cabeza de piedra
pelo largo enredado en el agua

la luna llena
ahoga su llanto

la luz del sol
dibuja sus rasgos

la espuma
la espuma
esconde

>> el resto
>> de su cuerpo.

EL SUEÑO

Cuando no había luz,
ni agua, ni sombras porque no había luz
ni agua, ni sol porque no había luna
ni mares porque no había agua

ni luz, ni árboles porque no había
pájaros, ni cielo porque no había tierra
ni luz, porque no había fuego
ni calor, porque no había luz,
ni agua, ni tierra ni fuego.

Había un sueño
dormido
esperando el azul del cielo.

LA BODA

Un sombrero color mamey

como eje entre

                chasquidos
      y   sorbetes

puntos
negros   se desplazan
                entre gente que

                se mueve

estabas
no estás

la luz se desplaza
se desplazan los

              puntos negros

el sombrero color mamey

ya no estamos

risas, chasquidos, risas

vasos, abrazos y besos.

(Alejándose avanza)

CARLOS CORTÉS

ORATORIO PARA UN POETA MUERTO

el poeta del pueblo que se estrelló contra
la realidad en motocicleta y a quien su ventura
traicionó está muerto y reposa en un cementerio
de judíos junto al sueño entre el abogado ladrón
y los amigos que se repartieron los sonetos
mientras el mediodía de oscuridad pasa
y la viuda y los hijos lloran sin qué comer
y los manuscritos son migajas de un tesoro
perdido porque hay rebatiña por las reliquias
pero el pueblo olvida las palabras del poeta
del poeta del pueblo que se estrelló
contra la realidad

(*Blanco Móvil,* México, núm. 60, 1994)

ALDO MAZZUCCHELLI

DESPUÉS DE 1984

> *Comprendo CÓMO: no comprendo POR QUÉ.*
> GEORGE ORWELL, *1984*

Pasó 1984, y no pasó nada.
¿somos los mismos? un rayo
atravesó el cielo sereno detrás
de tu cabeza, tal vez
sólo yo lo vi, o los elegidos
que nos destinaron una vez más a las galeras.

creo que no se cumplió la profecía;
tal vez algo peor, menos novelesco, más
cercano. Aún reímos en la cara
de la miseria, aún la mayoría de nosotros
espera un cambio en las cosas, pero
fuera de su mano. Nada peor:
el analista político que observa
cómodamente el corazón de los otros.
como si fuéramos todos
parte de algo más grande que los hombres.

(*Trashumancia,* Guadalajara, núm. 21, sep.-oct. de 1994)

JOSÉ A. MAZZOTTI

VALLE DEL SANTA/Invocación de Calíope y del olvido

para Fernando Málaga

Díctame, Musa, lo que tengas que decir. No sea que
    me quede corto
para hablar de la heroína Domitila, hija segunda de
    Dionisia Champi,
madre de tres frescos varones, cuyo esposo
duerme la siesta larga en el penal de Huaraz.

(Por la casa en Monterrey baja el arroyo
cada tarde con olores de eucalipto y piedra. Más allá rezan
    los Baños
y en el centro un camino a la ciudad.
Nada se escucha sino el canto
de unos niños saliendo de la escuela; y hay verdura en esta
    tarde
en que baja Domitila con el cerro a cuestas.)

"Hace dos años que me lo encerraron y sólo los do-
    mingos
puedo traerle su chuño y un poco de coca.
Por narco lo metieron, dicen, por chofer de unos se-
    ñores que mandaban de Huánuco su fruta."

(En la Casa de las Monjas, un viajero se introdujo
al mirar sobre la puerta el farol que meneaba.

"Doscientos la entrada, señor", y de pronto
se abrió un laberinto de puertas sin ventanas, y una gorda
con cara de huaco le sacó la lengua, y le contaba
que pensaba ejercer en Trujillo, que la dueña
les cobraba la comida y el camastro y que la vida era más
    dura
que el cuarto pestilente en el que reposaba, tarde
juntando uno a uno los pedazos
de un boleto a ningún lado.
Después invocó un primer amor y lloró, y la lluvia
fue como el llanto que en veinte años
no había podido soltar.)

"Aquí las paredes son altas y nadie se atreve;
más bien entre todos ayudamos o le rajamos el alma
al que no quiere ayudar.
Cuento los días y cantamos huaynos:
ojalá reconsideren la instructiva
porque siento nostalgia de la muerte en este hueco
   .húmedo
y un miedo que nos incendien para ahorrar comida
y alzarse la plata…"

Domitila le lava la ropa a un profesor jubilado
mientras la noche se estrella en los cerros, y pasta.

"Si me diera más trabajo el señor. Y tengo todavía
    que subir a ver
si la Rosa ha dormido a los niños.
Quizá mi primo Juan me quiera prestar
pero querrá también tumbarme, y ya no estoy para
    más hijos. Aunque un día de estos…"

Es febrero y relumbran los nevados.

Febrero de lluvia y Domitila espera.
¿Cuánto tiempo hasta la próxima cosecha?
Revuelve las hojas en la olla de barro. Viene el perro
y oliéndole los pies gira la cola y se sienta.
(Unos camiones allá abajo desgarran el silencio
como las manos de un guardia una camisa querida.)

Díctame, Musa, si puedes, esta cólera
que es llanto y es olvido de un viajero
sobre el ómnibus blanco que la lluvia apedrea.

(*Castillo de popa*)

VISIÓN DE GUEVARA

Esa noche te reconocimos entre el humo de los ros-
      tros y las flores imaginarias del centro de Lima
y te gritábamos poeta hasta el hartazgo, te gritamos
desde la sombra sin que te enteraras, asomando por
      los parabrisas de tu ómnibus (más negros que la
      boca del Rímac)
como quien suelta una piedra y no esconde la mano,
      y tú la recibiste
para lanzar una paloma al movimiento de tus dedos
      despidiéndose,
más puro que un poema, viejo Pablo, más hermoso
que todas las muchachas que miraban nuestro en-
      cuentro sin mirarlo
y sonreíste a los desconocidos que te despreciaban
y algo detrás de ti, algo metido entre la noche, te mi-
      raba
y no sabías si eras tú o era la historia

o algún poema que escapaba de tus manos y queda-
    ba para siempre entre las calles
entre los muros negros y las tardes negras y los ros-
    tros
terriblemente solos de la gran ciudad.

(*Infame turba*)

GABRIELA SACCONE

IN MEMORIAM Y OTROS POEMAS

"Te damos gracias por la tiniebla
que nos recuerda la luz", rezan dos hombres
de labios pálidos y ojos como peces.
La bruma y la lejanía de las voces
los salvan de pensamientos miserables:
negocios y mujeres abandonan la mente
como dioses frenéticos.

El aire claro se mueve
entre los árboles, y cuando el sol
se disgrega en el ramaje, la humedad
brilla sobre las grandes hojas dentadas;
hileras de hormigas marchan
lento entre piedras y troncos caídos;
una nube de insectos se mantiene
a metro y medio del suelo
girando una y otra vez sobre sí.

¡Ah! Mientras los testigos beben
de una petaca, o escupen, me pregunto
si el tiempo que es detenido aquí
será, en el más allá, el mismo.
Si en sus plegarias los duelistas piden
por un tiempo que acabe después de la muerte;
si es un jardín el coche fúnebre.

   ***

No habrá en ese atardecer
un color único que los cuerpos destelle.
La combinación de rojos, amarillos y grises,
cubriendo campo y ciudades,
hará que nuestra mirada se estremezca
ante el mundo ahora invadido,
Este río, no ávido de furia,
que miro mientras cago en cuclillas
desde los arrozales, desbordará.
Viento helado soplando, la línea
de la costa borrada y de la isla
sólo restos: el alto vuelo de una garza,
las ramas del sauce, mansas,
cayendo en lo que fue la orilla.

***

Sé de poetas que sueñan
con el tiempo que pierdo en lágrimas
sentada al borde de la bañera.
Si yo pudiera, si lo tuviera!,
dicen, seguros de la voluntad y el genio,
disfrazando de piedad el reproche
y olvidando al que enseñó:
"pensad dulcemente en los mortales".
Con Cronos, sueñan, el tirano;
si lo poseyeran, frente a una ventana
donde las copas de los plátanos chocan
en un brindis seco y verde,
rápidos se pondrían a escribir
de algo tan ajeno como la fortuna.
Queridos míos, les pido perdón
por quedarme largos ratos
en el baño —lágrimas corriendo—

o soñando con la sombra del saúco
para ser hechizada por la voz
de la serpiente, o extraviada
ante el color de la carne y las frutas
en el supermercado.

***

Una vecina llamó a mi puerta
pidiéndome un favor
en consideración a su vejez.
Al verla tan alta y gorda
mover los ojos como loca
accedí, confusa, en un murmullo.
Fuimos hasta su único ambiente
donde encima de una cama de dos plazas
había remedios y trapos en desorden.
Platos, vasos mugrientos
y latas oxidadas esperando
para el potus o azalea
la bendición de una cuchilla.
Desaté el lazo de su pelo
y hasta las puntas vi caer
granos de arroz, pétalos de jazmín
cuando mis manos iban y venían
por su cabeza untada de shampoo.
Ay mariposa blanca, mariposas
—su corazón era el que cantaba.

***

Los ruidos de esta noche
hay que engullir a soportarlos,
así del escalofriante caño de escape

293

se tiene un bocado de arranques de motor
que chasqueen en la lengua. En la boca
y contra el paladar superior
habrán pasado fuegos artificiales.
O tal vez carcajadas condimentadas
con las puteadas del vecino a su hija muda.
Yo prefiero beberme las sirenas
y no, en cambio, esos cocktail de camiones
que insípidos se arrastran
por todo el aparato digestivo
deteniéndose allá en los intestinos.
Quiero dormir.
Somníferos, voy a comerme la Luna

(*InterNauta Poesía*)

GUILLERMO VALENZUELA

CALLEJÓN DEL CISNE

Esas bengalas que suben en plena noche
para conmemorar el aniversario de la comuna
con una nueva Reina, apolillada entre las plumas
de la madre y el amanecer del padre borracho.

En el Cisne acartonado brilla entre lentejuelas
esta Reina que viaja con el peso de las nalgas
a dos manos, en estricta posición oracular,
preocupada por el manifiesto fervor de los súbditos,
y la garra con que sus fieles trepan
hasta la obsedida altura del Carro Alegórico.

En un tiempo que iguala al neón y la fogata,
frente al paredón que hoy ocupa el lugar
del comercio establecido, se hace un alto
para ver la peregrinación del rosario,
una caja de vino que corre de mano en mano
iluminando el empedrado a lo largo de la calle.

Muy cerca al pozo de las máquinas prendidas,
se juega la suerte de la Reina.

Su travesía terminará en el Callejón del Cisne,
un garito donde el tropel feroz acuñará
el cuerpo eufórico de la cautiva.

SELLO POSTAL

Ahora que el puente de los saltimbanquis
está bajo una niebla persuasiva e irreal,
ahora que toda espera ha terminado
y el puñado de gente que camina sobre él,
se disuelve en la trama que recorre
las líneas de la mano novelada.

Ahora que estamos a punto de saltar (nos persuadió
    la niebla)
y nos sacaron la foto sin que nos diéramos cuenta,
el clic, sobre esta playa de arenas pavimentadas,
donde sin reconocernos en el trabajo
que las sales de plata harán bajo las aguas;
esa revelación de la crónica roja
en la ribera del último sol de verano.

Nacidos y criados en adicción al pecho
de la crisis, con tos, arropados a la estola umbilical
de todas las debilidades posibles, le dimos vuelta
el cuello al invierno más crudo que hayamos
tenido que comer.

(*Húsar*)

MANÓN KÜBLER

III

he terminado con el drama. adolezco de la falta, del
aullido brutal y mudo a media noche, del insomnio,
de la deuda, del rigor entrando a las ventanas o a la
edad. ya no tengo historias crudas que merezcan ser
contadas, no me animan las formas nimias ni los
cuerpos fríos. la indiferencia cesó su delicioso juego
de matarme. estoy evaporada de pasiones. pasé de la
agónica existencia al respaldo de la cama, a los pies
en alto del descanso. noto mis transformaciones: las
mujeres no me rasgan sus recuerdos no se entierran
regreso a la casa, contenta de tener casa sin soñar
con el fracaso sin aspirar a lo irrevocable al abismo a
los brazos inertes, para siempre inertes de un cuerpo
maltratado. no me azotan mis filisteos comentarios
ni me hieren los idiomas. la lupa de mi lengua no se
altera sobre cuerpos inventados no seduce no adora.
noto con horror, sin valentía, que comienzo a ser feliz.

IV

supongo que este aventurado ascenso de hoy por las
inveteradas paredes de la euforia ha de conducirme
prontamente a un abismo indescriptible. digamos
que eso no tiene importancia en la medida que podamos, usted y yo, malograr la criatura de la falta,

como ha de hacerse en las mejores poesías germanas, donde la indolencia pasa a ser forma de duda y de tragedia para el más inmune de los hombres. lamento ser tan angustiosamente moral y pretender que para tocar uno solo de sus senos tenga que decirle tanto.

XVIII

hubiera preferido otra nacionalidad, la gloria de un país envuelto en verdes, en bruscas brisas. caminar y sonreír sin la permanencia de la mentira. acorralarme detrás de la historia, besar con fuerza la inmovilidad del mármol y la perenne mueca de bustos y heroicas poses. hubiera querido para mí la elegante condición de representar al mundo en cualquiera de sus formas, atravesar las calles y sonreír en nombre de la mágica de estar casada con los principios estelares, con las sinfónicas palabras, con emblemas y figuras de alguna trascendencia. yo que detesto las manifestaciones honrosas de la vulgaridad de mi país. hubiera querido declararme ajena, locamente enamorada de lo que no me pertenece, complacerme en el humo y en los vapores de una catedral alumbrada a medias como esta casa, de día, hubiera querido la gloria de pertenecer, de la lucha, de lo sólido y no de la ridícula insinuación. en mi país no hay temperaturas que varíen, ni climas, ni pálidas tardes, ni vientos ni rotos nortes. vivo en una ciudadela que hace inútiles a los pañuelos y absurdas a las adorables alas de un sombrero.

(*Olympia*)

TERESA MELO

CERCADOS POR LAS AGUAS

Es cierto. No atravesaremos este mar
ni le conoceremos su probable semilla.
Como el pájaro en el nido vacilante
cercado por el mar y el sueño
su intención duradera el equívoco de los altavoces
ahogando la alta voz.

> Cercados por las aguas los ojos que
> adivinaron la fijeza de los ojos de Elia en
> flores temporales. Cercadas por las aguas
> las canciones que perdieron su mitad tras
> esas mismas aguas. Cercadas por las
> aguas las piernas de quienes no pudieron
> caminar por las aguas.

El viaje de la memoria en torno a esas señales
se irá desdibujando
uno y otro morderán su cola
uno y otro arañarán la piedra   pero el limo
inunda esa piedra
lamida interminable por el agua.
Vamos siendo nuestra propia isla
arriesgando leyendas sobre los límites del mundo
nos sentamos a desgranar consejas
palabras traídas por otros   pero
todo lo desconocemos.
Podría no haber nada más allá de las aguas

podrían mentir los libros y los noticieros
y nunca lo sabríamos.

> Cercados por las aguas usamos trucos
> infantiles contra la desmemoria
> elementales carnadas por lo común
> inútiles cuando está a punto de ser
> barrido por las aguas

quien siempre estuvo a merced de las aguas.

(*Credo,* La Habana, año 2, núm. 2, abril de 1994)

> Una voz en La Habana:
> –Vamos a jugar a quiénes de los que
> están aquí pudieran estar en cualquier
> lugar del mundo ahora.
>
> Otra voz:
> –Nadie.

Nosotros podríamos estar en cualquier lugar del
    mundo
ahora
mira qué fácilmente uno abre y cierra las ventanas
cuando el viento final igual las atraviesa
así de fácil podríamos
pero mira qué fácilmente
uno no es el extranjero de ningún lugar
uno no está nunca de regreso
Esa calle otra calle
y el único rostro anda por ellas movido por el
    ademán
del director de escena
Todo parece estar listo para el gran final:

una manera de rasgarse con elegancia el estómago
o una gaviota congelada sobre las risas mudas
de extraños que bailan
a otros extraños abrazados
Mira qué fácilmente una voz en La Habana
nos borra –lo pretende–
pero al final de la película ni la voz en off
ni dios ni yo lo conocemos
Tiene que haber un modo menos amargo
de salvar la luminosidad del cielo
para la foto infinita del turista
La isla cae en mí
como el martillo del juez sobre la mesa
sobresalta los rostros más inocentes
La isla está en mí
mira qué fácilmente lo decimos
los que no sabemos si vamos a salvar ningún cielo
ni a cruzar seguros la esquina
donde dos voces se interrogan y dicen:

NÉSTOR ROJAS

OTROS SON LOS PRECIPICIOS DE LA CARNE

No vuelvo por haber vivido
Busco en mí los nombres
de la devoción

el ojo
de la alcayata celeste
que me sostendrá

los vaticinios
ocultos
el fuego
espinoso

Vislumbres de mí

Otras señales no hay
El pajizal no deja ver las cruces
la zamurana
y el canto de ese mochuelo alerón
que es aleluya
cielo caído

HAGO TODO LO QUE PUEDO

Toco la nitidez del aire
con la pluma del piapoco

Espero el mes de la espiga
No quiero vivir en la ceniza
del fracaso
No quiero estar prisionero
en mi propio temor
Espero
la resurrección de las alas

Espero
desnudo
en las arenas
¿Qué dios ilumina mi desamparo?

La llama del vértigo
reverbera en mi alma
desolada

***

ARREMOLINADO como si fuera
o viniera

Me pesa la muerte de los sueños
que no pudieron ser
Y me pesan los recuerdos

Tiendo las manos: no hay nada:
sólo aire

¿Bajo qué forma
volverá

        lo que se fue?

Con el reflejo de esta piedra edificaré mi templo
pues nadie regresa
(aunque regrese)

***

ME HA TOCADO el aire

                de un relámpago

      Esta desolación es el principio del fuego
                Es la intemperie

      y la única respuesta de la alianza
            anterior a la palabra

      Mira mis escombros. Todo quedó consumido
            en sus cenizas áureas

      Todo me fue arrebatado

      Sólo el signo de los arenales
            me hace visible

      ¿En qué asombro me apoyo
            para no caer?

                  (Inéditos)

304

MARTÍN PRIETO

EL MAR

Estoy parado frente a un caballete en blanco
frente al mar,
en cualquier país de Sudamérica.
Entonces pienso:

> *estoy envejeciendo;*
> *nada me atrae ya con nitidez.*

Un barco naranja crúzalo al mar
al bies
y se pierde.
No seré yo quien lo pinte.

UNA MAÑANA MONTEVIDEANA

Amanece en el puerto de Montevideo.
El Río de la Plata,
que en su ancho parece mar,
oxida las rocas del muelle.
Las luces de los barcos
anclados allá se reflejan sobre el agua tersa
y se hacen, cada una, dos.
Fascinado como el joven Burroughs
ante un espectáculo semejante,
empecé a temer, como él,
que si no me iba de inmediato
tendría que quedarme allí para siempre.

DESDE LA VENTANA

El mundo es esta estación de trenes, casi invisible
     por la lluvia.
Hay, entre las vías, un resto:
una naranja brillante apoyada contra el riel.
El hombre tiende la mesa
y cree cambiar en algo las cosas

UNA CANCIÓN

Las plantas de lechuga,
húmedas por la lluvia de la noche anterior,
verdes,
contrastan en un paisaje acostumbrado
al maíz, al trigo y a las pasturas.
Las mujeres no hornean, como antes, el pan:
duermen a esta hora y sueñan con hombres elegantes
que las pasean en autos descapotados,
que les señalan, al cruzar el puente,
esos cuerpos encorvados y rústicos,
casi imperceptibles por la niebla,
que recogen y encajonan plantas de lechuga,
al amanecer.

LA DESPEDIDA

Vivimos veinticinco años juntos
y en la misma ciudad
para terminar en este país de extranjeros,
casi como dos turistas aburridos
que toman una copa helada

después de haber intercambiado
algunas palabras gentiles.
Las calles de Roma están bordeadas de basura,
por la huelga,
y hay ese olor nauseabundo
que provoca en los residuos
el calor del mes de agosto.

ACERCA DEL ALMA

Nada más quisiera el alma:
una percepción emocionante,
materiales levemente corruptos
de eso que llamamos "lo real",
y no estas construcciones de fin de siglo
en el bajo, galerías desde las que miro
los mástiles enjutos de un barco griego.
Tampoco el agua ni, más allá,
eso que dicen es la provincia de Entre Ríos.

VERDE Y BLANCO

para Renzi

De las verdes brevas la mujer, entre sus manos, toma
    una.
Alguien las cortó esta mañana
eligiendo las más grandes y rugosas,
dejando que las tersas maduren como higos,
dentro de un mes.
De las verdes brevas que adornan el centro de la mesa
dentro de un plato de loza blanco

307

la mujer, entre sus manos, toma una.
El contacto de esa carne desarmada y fresca
contra sus labios le recuerda un viaje.
Una terraza.
Velas blancas sobre el agua del Mar Argentino.

(InterNauta Poesía)

DOMINGO DE RAMOS

NN

Hoy viernes he salido de casa
Compré lo necesario/alquilé un traje/para estar
lejos del individuo de los días anteriores
Cómo explicarte
                    Si José fue a llevarte flores
al hospital donde reposas
                              con tu cabeza cana
que ya no acaricio o que me acariciabas
siendo yo un pequeño animal entre tus brazos
Hoy viernes los periódicos anuncian catástrofes
pero la mía es aún el doble
                              doble como una moneda
que tiene el mismo peso
                              las caras distintas
el mismo dolor vacío
                              que nunca sentí

Estoy seguro que en el hospital
                              no me anuncian nada nuevo
ni nada viejo
                    nada de lo que hoy
padezco ni siquiera grabado en el electrocardiograma
que tranquilamente puede ser una hermosa carta
que nunca escribiste
                    ni la radiografía puede

captar lo hueco que es esta angustia

                                        de la espera
Como los posibles litros de dextrosa

                                        que purificarán
tu cuerpo y vuelva tu voz que venían como dos arro-
    yos que se juntan desde la
cocina hasta la calle donde yo jugaba un partido de
    fulbito.
Hoy viernes pude irme tranquilamente a visitarte
y seguramente no te hallaré no encontraré
rastro alguno que me conduzca a tu lecho
como cuando de pequeño corría a tu cuarto
espantado por el terror que me causaban tus cuentos
    de la medianoche
Ya no te hallaré con tus manos blancas
tratando de dibujar algún pájaro
que imitabas en tu canto

como los cantos en quechua que acompañabas con
    tu
mágica guitarra/violín o arpa que desconocía
mis oídos y mi lengua

                        Madre
Hoy viernes espero verte como en mi eterno
            sueño
te veo a través de la ventana
venir apacible alta y moza como el canto de las aves
en medio de la aurora

                    que se destiñe detrás de la puerta.

BANDA NOCTURNA

A los guerreros del 80

Bajo la noche transparente
arden las veredas
parpadean los faros sobre los sucios
blue jean de los jóvenes que se extravían entre
parques claroscuros y negras casacas
entre brumas fosforescentes y blanquísimos cráneos
dientes rubios y dedos rubios escarchados por la
       yerba
Sus miradas brillan como hebillas de plata
llenan de tambores las plazas bañadas en aceite
y policías de felpa.
Por la noche salgo. En el día huelo a gases
       lacrimógenos,
la multitud me absorbe en sus paltas
pero me detengo en las claridades del mundo para
       respirar
sin un cigarrillo en los labios/el frío me congela los
       miembros
y no hay sitios donde descansar para ver
las rojas hormigas cargando huesos
migajas de pan/todo está cercado por fieras exhaustas
solitarias bancas/roto por el silencio y ese cascarón
azul que me separa de ti oh raquítica tierra
                mi cuerpo es sólo
fugaz y opaca estela de locura
                     en el orden natural
eterno polvo sin entierro
       Y esas flores y esos muchachos seducidos por
   el polvo
por el orden ¡Oh los apestados de este siglo!

311

América es un Ácido, allí hay miles de angustiados
La ley es cruel me dicen los que no sobrevivieron a
    esta
guerra inconclusa donde mi banda de leñadores se
    dedicó
a demoler las gordas columnas de la Justicia, donde
    quedaron
sólo tus enormes muslos/oh Cecilia/tus nalgas/tu
    rostro de penca
y un boquete en el corazón luego de enfrentar a la
    policía
con un ejército de metales retorcidos
que fueron nuestros huesos después del incendio
sobre una autopista irreal donde aún palpitaban y se
    desangraban
los tibios corazones de los caballos que cayeron antes
    que nosotros
a pesar de su inocencia/ de sus fuertes músculos
de su destreza para eludir las dificultades
que ahora soportamos cuando las tinieblas reinan
y el pánico de las bestias que rastrillan/ se
    aproximan
calle por calle/zona por zona cubiertas con los
    adolescentes
cuerpos de mi pandilla que ha saboreado la catástrofe
antes que el sol borre los resquicios y los
    escombros
a que fuimos sometidos.
¡Oh el deslumbramiento del horror! Mejor será
    largarnos
de esta ciudad a la que nunca pertenecimos
y ya no tengo banderas ni multitudes

Estoy perdido
                        entre los edificios
                                        entre las calles
y bocacalles
                        entre los cerros y basurales
deambulando con tu imagen impregnada en mi mente
(y tú Sarita eres como un rockanrol en mi pecho
oliendo a pasta que consume mi banda pensando en ti
en el cielo que le ofreces por unas monedas)
¿Qué puedo hacer? llevo un amor a secas
que no me calma en el largo viaje por las suaves
            arenas
donde te conocí oh dulce Cecilia como la chicha que
            cantabas
para mí en aquellos tiempos en que asaltábamos
golpeábamos destruíamos y culeábamos en cualquier
estera bajo la tibia luna y el sereno mar que se
            enroscaba
en tu blusa de nube/todo termina y lo han sabido
nuestros enemigos/nos jodieron quitándonos la noche
Y solo me voy quedando/aturdiéndome ante el
            desayuno
y el responso que estoy escribiendo con dificultad
por el parpadeo de la vela
Estoy condenado a muerte/han arrojado mi sombra
            al mar
Estoy divinamente desolado/mi alma se queja como
            un torrente
y me dice expirando ¡¡¡¡MÁTATE!!!!
                                y mudas piedras rodaron
sobre las calles como una escuadra preparándome
            una celada
a plena luz del día con guardias de tránsito y
            helicópteros

313

de papel. Me detienen/me botan/me organizo y
        vago en
plazas y barrios demoliendo las gordas columnas de
        la Justicia
mientras mi banda se aleja
                        en tierra

                    en humo

                en polvo

            en sombra

        en nada...

COMO UN MAR ENCALLADO EN EL DESIERTO

Todo está rodeado
Ves hijo naciste cuando el sol era más pequeño
que tu cuerpo
Cuando veías que la tarde se iba
y tu madre llegaba como una ronca respiración
para darte la leche de etiqueta roja
que lactabas como si fueran sus pechos
Ah hijo viniste justo cuando las esteras ardían
de calor y las banderas aún flameaban dándote la
        bienvenida
Ahora tienes 15 años
                    y no has estudiado
                                pero es como si lo
hubieras hecho
            levantando construcciones
                            cazando pájaros

corriendo por las playas como una quilla con las olas
pescando en la madrugada

       trayendo flores en invierno
vendiendo cometa en agosto
       Ahora hijo todo está rodeado
de alambres con piltrafas de aves
que como un oleaje te arrebataron el aliento
en una noche tan distante de la noche en que naciste
mientras yo estaba arrastrando la carretilla azul
         recuerdas?
como el Titanic
      que viste en la televisión
que se hundía y tú te ahogabas de sopor con la fiebre
de la arena sobre tus desnudos pies.
Ahora todo está rodeado. Menos donde descansas. Tus
  huellas
se han perdido. En la falda del cerro unas lagartijas
  juegan
haciendo hoyos y bajo la solitaria cruz
hay una voz de conchas marinas que silban
entre las rocas. Más abajo mucho más abajo la casa
que a la distancia verás
como un mar encallado en el desierto.

            (*La última cena*)

LA DEMENCIA TIENE TU COLOR

La demencia tiene tu color   Bomba
tiene algo de tus labios   Negros
tiene cierto olor   Blanco
tiene por último sabor   Orgía

reprimida nochería ronería
tiene mis días contados

Golondrina pálida anida en los huecos
ladrillos de otoño Otoñal como tú
Mi testa se enciende por tu ventana
que cierras al anochecer
cuando tu cuerpo se tiende
entre mis piernas rubias rubias
mis manos sobre tu undosa cabellera
que a partir de las 7 amo sin-mesura
que a partir de las 8 cabalgo con-ternura
que a partir de las 9 odio con-fisura
fisura en el hueso en el cielorraso blanco
de tus ojos hielo hielo como el miedo
tus manos (mar retirándose a su cementerio)
Espinosas fosas son tus puertas
Los ascensores son las máquinas a los infiernos
cuya marca del 3 es 3 porque 3 no es
mi número favorito es mi sincronía
es la desolación del ángel la imprecisa
soledad de las noches de las novias
asqueadas de blanco de preñez
que ríen con un corazón enano
Ya nadie se suicida con un paracaídas
Yo que en añosa selva de tu cuarto oí
un rugido de moscas y 3 son los caminos
y 3 de todos los meses me encuentro
por 3 caminos hacia tu casa
3 por tu sordera 3 por tu ceguera
Y nunca tuve un cielo como el tuyo entre mis manos
abiertas de rama en rama con oloroso aguaje
y explore lo inexplorable lo inexplicable
Pero tú sentada en mi impecable soledad

316

y en el momento de un atardecer
que era un cuerpo desplomándose en la mar
no me veías nunca y acariciabas un árbol
una mesa tu piso de parquet
mas yo era yo
tirado como un cadáver sobre el quirófano
mirando no sé qué naufragio qué calles
recuerdos cuadros bellos como
el de una mujer haciendo el amor
a solas

(Luna cerrada)

JOSÉ MÁRMOL

POEMA 24 AL OZAMA: ACUARELA

superficie de luces agotadas donde apenas el sonido
de la sombra suena, yo te nombro ciudad irreal hundida en la penumbra de un recuerdo invernal, el ozama que fluye por cada objeto a la deriva es una historia. el ozama que sube del fondo de la noche hacia
mi palabra. un pez flota suspenso entre la imaginación y un escarceo brillante de hojas secas. el ozama
refugio del miedo de la noche y de toda la pobreza
de unos hombres. largo testimonio de secretas temporadas de amor y de todo excremento vertedero.
yo te nombro ciudad irreal hundida en la penumbra
de un recuerdo invernal. cuando en la orgía de las
horas oscuras no queda diferencia y el amanecer es-
talla en su maravilla cotidiana. cuando el silencio penetra el aire ancho y el murmullo de los troncos y las
piedras. el río que hay en el ozama empieza a sudar
leche de luna y baba. empieza a mostrar sus ahoga-
dos. sus ángeles suicidas. sus dioses imperfectos. sus
luases orinados. sus vírgenes violadas por murciéla-
gos y sapos. los lanchones de hueso dejan la superficie cantando su retorno hacia lo profundo. todo mi
cuerpo. toda mi memoria contenidos por el río que
corre en el ozama, todo mi ser desgonzado y transi-
do, superficie de luces diluidas donde ya no se oyen
las rancias velloneras. yo te nombro ciudad irreal
hundida en la penumbra de un recuerdo fatal.

(*Poema 24*)

318

PATRICIA MATUK

POEMA

Palabra, palabra que sale de tu boca como un globo
que se muere (de vergüenza) si la repites o la tocas
y se detiene, mansa, redonda para brillar
porque nació para dormir en los altares del error
y gira el día y gira el alma como satélite
en ilusión de eternidad sobre la mesa del poeta
que las ha abierto como un niño que desarma su robot
para ver qué tiene por adentro
y sólo encuentra su vacío, siglos, kilómetros (cualquier
        cosa que pese) de vacío
que extrae el mago como pañuelos sin fin de un
        sombrero

vísceras rojas, ríos de harapos enloquecidos y ciegos
reptando por el mundo deslumbrado de la luz de las
palabras que conducen a infinitas direcciones
dan la vuelta al universo y regresan al punto de par-
        tida

HAY UN SUEÑO COLGADO DEL TENDEDERO

hay un sueño colgado del tendedero
y una tristeza azul de no podérmelo poner
anoche ha llovido ausencia
las cosas nunca fueron tan cosas y tan no mías

319

he de buscar un pedazo de día en el recuerdo
para salir disimulando que hoy duele el vacío
sonrisa no, tras los barrotes del pentagrama no me
    cabe

y antes del paso una voz lejana se voltea
dejo la muerte para mañana porque debo vivir hoy

ESCRIBE QUE SOY LIBRE

abajo
abajo
abajo del
abajo del estrépito
abajo del estrépito de los días
abajo del estrépito de los días vive
abajo del estrépito de los días vive la lombriz
abajo del estrépito de los días vive la lombriz de lo
    imposible
paporreteando como el mono el "yo-no-veo-yo-no-
    digo-yo-no-oigo"
obedeciendo al domador de los intentos de saltar en
    este tiempo
porque la libertad tiene ya su fama de ser siempre
    ofensa para alguien
(toda con globos de colores alborotando el gallinero
    de los muertos)
pero qué pasa, una tarde verde te tocan a la puerta
y se te presenta la esperanza sin más ni más
no como algo físico y medible susceptible de fotógra-
    fos o sastres
sino como la única representación de la cosa, la cosa,
la cosa en plenitud, eso que es y que no es

320

y se complace en recostarse en el centro de tus bús-
    quedas antiguas
toda redonda y rebosante

hay una calma momentánea y todo brilla
y cada calle es cualquier calle y esa calle y todas y
    ninguna
y el sol se baja a una naranja y el suspiro se trepa a
    la nube

unos con otros los caparazones se rozan evocando la
    luna
toda nostalgia (pero toda) ha sido erradicada
el hormigueante paisaje está ya listo para caer, preci-
    pitarse
en el caos donde el cosmos se genera, falta un soni-
    do, por ejemplo tú
tú
    tú
        tú
            tú
                tú
                    tú ¿oíste la lluvia?

vamos, salgamos a bailar con todo el mundo
que hoy suenan todas las campanas de la tierra
y en el tambor que cada casa guarda desde siempre
ya está latiendo la alegría original
que todo el aire nos devuelve
nace de nuevo, sube a este monstruo de mil manos
llamado gente como hace tiempo
cuando era fácil convocar con un repique a lo viviente
hoy nada impide a la verdad que se mire en el espejo
como animal que dejó atrás la muerte herida a vida

y nos pusimos cintas rojas y azules en la frente
para irrigar el río humano con nuestras voces
venas y arterias, jóvenes, niños, embarazadas y
      viejas
y el horizonte se dibuja con un lápiz de mirada
y es indecible tanta explosión vaciando tiempo
quitando al nervio la imposibilidad antigua
mentándole la madre a la cara pensativa del jamás
lo extraño no es que el mundo esté debajo de la tie-
      rra, aunque sí,
pero si salen es porque hay algo de larval, de umbi-
      lical
en estos saltos sin norte y sin aparente coherencia
que intento detener con puras redes
cuando el instante no es segmento independiente
sino poema (he sacado mi cuaderno, me he sentado,
      he puesto un título: *POEMA*)

—Qué tú escribes (((= tenemos miedo de que este día
      no sea cierto)))
vinieron diez, cincuenta, mil, todo el país
—Qué tú escribes (((= dinos qué clase de huracán es-
      tá pasando

                        por el reino de este mundo)))

los estoy viendo, sé que jamás he visto nada igual

"ahora recuerdo (con dificultad)
cómo el vuelo del paisaje (porque este lapicero)
se prolonga con el ave... (no tiene tinta)
(y puse raya final

            — — — — —)

y una vez más

—qué tú escribes (((o es que no has mirado a mis nue-
    ve hijos
                          y en sus barrigas los gusa
                          nos multiplican hambre
                                    de creer???)))
era de más intentar con el cuaderno
como querer decir *EL MUNDO*
sólo bailar, que *LIBERTAD* es una fiera de mil ojos
que me rodeó, alzó los brazos con mirada de infinito
y dijo "digo"
              como imitando al primer esclavo liberado
por eso el trance
por eso el trance. lo endurecido había sido el alma
en el tumulto me recordaba una señora
—Pues escribe, extranjera, en tu cuaderno
                                    que soy libre
                                    que soy libre

repetía y se alejaba y repetía y se alejaba y repetía y
repetía esa voz/única voz
hasta la plaza hacia la playa que soy
                              libre

SUEÑO DE SERPIENTES

                    un poco de esa poesía
                    de las fiestas y multitudes
                    cuando en días hoy demasiado raros
                    el pueblo se vuelca a las calles
                                    A. ARTAUD

Dambalhá bailaba
no porque tuviese oídos y oyese

323

sino porque su cuerpo tocaba largamente
casi todos los puntos de la tierra
y no podía resistirse al masaje largo y sutil
que las vibraciones de hombres y mujeres
transmitían con los pies sobre la orilla

(*hueso húmero,* Lima, núm. 22, julio de 1987)

ALEJANDRO SALAS

Llégame hasta el hueso
que no quede nada de mí cuando hayas terminado
ceniza y lágrimas y que el fetiche responda
hasta que caiga a pedazos, hasta que se conmuevan
    las cosas
correajes para acariciarme, flagelos para molerme
en pequeñas muertes, en raptos de sangre y semen
cimbrando el orgasmo, con uñas y muelas de su lado
a patadas a manera de pasión, a mordiscos
para comerme de verdad y me quede tranquilo en tu
    vientre
sin día ni noche ni juicio final.
No tengas miedo
el hombre es un lugar quebrado
y por mí, mi carne está lista para caerse.

Rosa sexual, patrona mía
aguardo por un ofrecimiento
tú que imperas, ágil en tu fango físico
en tu crujir de cama dislocada, en el vaivén
de tu colchón y tus almohadas aplastadas
por ambos lados
extiende sobre mí tu desenfreno de hombre mujer
como una sombra, como el tiempo.

Échatele encima, poema, no la dejes tranquila
ni sueltes su nuca ni sus nalgas
perfórala con tus yambos, marcha sobre ella y aplasta
su deseo horadando su lengua rota de lujuria
con tu ritmo inflexible
que ha de removerla por dentro
como si fuera músculo e instinto quien penetra
y la hace caer hacia la vida
que sean tus palabras como el fuego poema
así que adelante
no dejes de manosearla y caerle encima, que chille
hasta el cansancio.

Qué hermoso quien se sienta frente a ti
y de cerca te escucha reír
dulcemente
yo mismo me pierdo y apenas te veo
la nada está sobre mí
me quedo sin voz, mi lengua se rompe
bajo mi piel se desliza una llama sutil
me zumban los oídos y una doble noche
cubre mis ojos.
Baña mi cuerpo un sudor frío
me siento como muerto. Pequeña muerte sin palabras.
Catulo dice que es el ocio
yo digo que es mi corazón.

Exta
sí
amela encárna
mela perfóra
mela úntame
la lámeme

la quiébra
mela
atás
camela pú
dremela está
llamela azóta
mela incúlcame
la rómpeme
la hasta que ce
da
amor.

MARIELA DREYFUS

COMIC

a P.S.

Ese flaquito que viene caminando
al otro lado de la vereda
y lleva 1/4 de pollo en una de las manos
va al mercado / no trabaja / quiere ser pintor
y se para de golpe a decirme: *hola, chiquilla*
y además, que en su casa hay un poco de yerba.

Este flaquito tiene sus paredes del segundo piso
llenas de árboles que ha pintado con crayolas
y en el rincón, dos desnudos:
mujer de espaldas / mujer de perfil
y es difícil para él conseguir una mujer.

Y hace diez o doce años que este César
da vueltas y vueltas alrededor del barrio
atrapado entre su onda de volar o ser economista
y en sus cassettes resplandecen los Sex Pistols
y el brillo de los muslos plomos / vellos pardos
de la que está en el cuadro
es tan cierto como esta desnudez.

Píntame un cuadro, anda, píntate algo
capaz de detenerme envuelta en unos colores toscos
con mis pelos negros y esta risa y estos ojos

328

fumando intermitentemente en el cuarto del segundo piso
antes que la yerbita baje o la neurosis lo descomponga todo:
el tocacintas / la t.v. / o tu extraña potencia
encerrada en el maletín que ahora cierras
porque ya es la una y te esperan para hablar de negocios
ya no hay tiempo, ya vas por los treinta años y creo
parecerme a la del cuadro que tendrías que pintar.

(*Lienzo,* Lima, núm. 8, abril de 1988)

EL BOSQUE

Sólo tu aliento me protege este invierno.
Temiendo cada contacto con lo humano
cada olor que se pega a la piel
amo lo que hay en ti de piedra o de pantera
tu exactitud de roca   tu felino delirio
tu silencio y vacío que me nutren y aíslan.

Amo
como una flor incierta que tampoco
se atreve a mirar el mundo
y destila su olor en un bosque de sombras.

> *(Tus ojos la sombra de tu cuerpo*
> *tu cuerpo la sombra de la noche*
> *tus ojos de un espesor igual al mundo*
> *mi amor como una sombra frente a ti)*

Amo como unos labios que tal vez
                              no rocen la frontera
o les falte un instante para rozar lo cierto.
Pero he besado cada resquicio de tu cuerpo
                              el músculo del corazón
tu corazón que late tiernamente bajo mi corazón
la sombra de tu cuerpo
donde poso mis ojos de animal espantado

> *(Ojos de ver de no ver de olvidar*
> *inmenso es el mundo y me someto*
> *dejo fluir el ritmo de la sangre*
> *las sombras iluminan el bosque*
> *y danza la noche en nuestros cuerpos)*

LA PAZ SEA CONMIGO

Nunca veré
oh luz bondad del limbo
dónde residen las controversias
de dos cerebros rodantes que se cruzan
y al borde del abismo chocan   caen
            manan sangre

(Como el Principio y el Fin
                    el Tú y el Yo
son imanes en ataque, perturbados
cuyas flechas en ristre
no perforan mis dominios.)

Abajo el ave azor algo me chilla
y he advertido el grito sordo de la corneja,
su huida siniestra.

330

Mas nada aquí, en mi lecho de vuelo
estorba, oh paz
la perfecta supremacía del Armónico.

(Placer fantasma)

PATRICIA GUZMÁN

DE MÍ, LO OSCURO (fragmento)

Respiras
por mi orificio oscuro

me adiestras

Te levantas
húmedo en cenizas

    ***

Reclamo mi cuerpo
entre tanta sordera

                  tanta lengua en lo oscuro

   ***

–Que no enumeren mis ojos–

                  tantos miembros
                  para un animal
                        de malas aguas

   ***

Llevo la espalda herida

el lamento de un último arbusto

                    viene amarrado a mi cintura

Tu boca
en mi seno

   ***

Mansa
cargo el derrumbe

Lastro tu sudor

Ya no me quedan huesos
estoy hecha de sed

   ***

Me ofrezco
y no te alcanza el miedo

                    Te sobra cuerpo

   ***

Que sudamos

                    hinchadas

                    y tan sólo nos queda
                    el suelo

333

Nada más silencio que yo

                    Pero ellos escuchan

    ***

Voy a matar mi animal

contarme los huesos

                    levantarme crecida

    ***

Todo se llena de pájaros

                untado de una muerte
                que no me pertenece

                que crece

                en los dientes
                de otros

    ***

Esta casa vacía

me habitúa

                Agua negra alrededor de mi boca

    ***

334

Vuelta a vuelta

        arrojándome a tu mesa

                que no llegaste
                que no comiste

¿POR QUÉ EL AIRE?

¿Por qué el aire está lleno de almas?
Si no me responden voy a arrastrar la flor de lis
Si no me responden voy a arrastrar la flor de lis
Sé que son muchas las formas del enigma
Sé que debo cuidar de lo débil
Cierta vaguedad hay en la inocencia
Los inocentes apuran el sufrimiento
¿Quién les habrá dicho que las rosas crecen, no viven?
Las mentiras deben ser grandes
Las mentiras deben tener la arquitectura de lo sagrado
Así las flores pueden crecer hacia ariba
Así los ojos pueden crecer hacia arriba
Así nos soñamos a nosotros mismos
Canto, canto de augurio

SI LE TEMES A LAS ROSAS

Si le temes a las rosas
Llena de oraciones el jardín
(Será inútil, no podrás salvarte)
¿Quién dijo que no tienen labios?
Nos besan de la cabeza a los pies sin sacar la lengua
Altas alturas

Altas alturas
Y un solo corazón: carne buena, carne mala
Las rosas son espadas
Llena de oraciones el jardín
Las rosas son buenas
(Cantan despacio, despacio)

(Inéditos)

ROSSELLA DI PAOLO

EL CUERPO DONDE HABITO

I

Todo este buen objeto que es un cuerpo:
sus brazos flacos despegados por arriba
sus alocadas piernas cortadas hacia abajo
y en el medio el pedacito de torso
con su corazón puntual, sus riñones limpios
y este pulmón que se asoma a la ventana
y conversa con el otro
sobre si el cerebro encabezado, si la boca armada
si las altas hogueras parpadeando al unísono.
Ah este cuerpo alegre como un perro chico
con su sexo despierto saltando en la puerta.
Sin este honroso cuerpo, duro y claro,
sin su lúcida arquitectura
de huesos quietos y pellejo alzado
dónde habitaría y cómo
tanta tierna acongojada nada?

II

En los brazos de mi cuerpo estoy
en sus pies me alzo y ando.
De mi cuerpo soy hija única
y en su piel me sumerjo entera.
Sin mi cuerpo no hay voz
ni mi voz ni tu voz

337

sin las orejas de mi cuerpo
ni tu cuerpo sin los ojos del mío
sin sus manos.
Me ama este cuerpo que yo habito
me abre sus ventanas y me teje
y desteje cada día que me asomo.
Es mi cuerpo quien fabrica las palabras
la conciencia de estar / de ser aquí
porque él lo quiere
y si no lo quiere entonces nada
de nada.

FAZER TE LO HE MIRAR

Esperemos que la noche empiece
a sacarnos los ojos en lentos picotazos
y tendámonos, amado, sin temores
pues nada nos hará dejar esta dulce prueba
de ser ciegos, amado, para todo
lo que no sean las manos nuestras y las bocas
porque las bocas nuestras y las manos
son harta luz.

LAS ALTAS DISTANCIAS

Si yo escribo tu nombre en la arena
y tú escribes mi nombre en la arena
pero en otra playa
es que hemos descuidado las cosas
hemos dejado crecer el mar como hierba mala
y habrá que arrancarlo con cuidado
hasta allanar la arena de esa playa

338

donde puedas escribir mi nombre y rozar el dedo
que está escribiendo el tuyo despacito.

OTRO SOL

Es ácido este sol que me acompaña
su diente de limón yo no lo quiero
quiero tu cara arriba y yo debajo
caminar a tientas por tus jugos
es tu blanda luz estar
emmelada mosca hasta las patas.

DE CONQUISTA O POÉTICA

Por un rábano entre las hojas voy
busco más que nadie el rábano
machete en mano entre las hojas
internándome
(un rábano en vez de corazón
dos en el sitio de los ojos)
a codazos codiciosa entre verduras
a duras penas allá voy
sola tras el rábano
encima de este rábano ya estoy
ya muerdo
las hojas solas.

EJEMPLO DE CÓMO EL LOCO AMOR ESTÁ AL HUSMEO
DEL BUEN AMOR PERDIDO Y FALSAMENTE LLORA

Saber que rondas como lobo
que acechas tras las ventanas y que golpeas

tu hocico en el reverso de las puertas,
halaga.
Ah dulce entre los palos, lobo entre los lobos,
amado que fuiste, y tanto,
¿aprenderás, si aprendes, a no escupir en la leche
que te bebes
y a no llorar, si lloras, sobre la leche derramada?

TRES DE LO MISMO

1
Y será ese fuego
y esa gana
y el comienzo de mi vida sin tu cara
en otra parte

2
Y no poder siquiera decirte te amo amor
sencillamente decirte te amo amor
y correr

3
Tanto amor y no poder nada contra la ausencia
nada que no sea ir hasta el final de esta línea
y regresar como estoy haciendo
para volver
sin nada

(*Socialismo y participación*,
Lima, núm. 63, noviembre de 1993)

LIMBO

Perfección

Este mar azul recién bañado
Este sol que lo envuelve como una toalla limpia
Esta que soy yo, escribiendo:
quisiera levantar mi cabeza
y verte
sólo levantar mi cabeza
y verte

Me pregunto por qué los pequeños cangrejos
han corrido a esconderse

Estoy levantando mi cabeza

Limbo

Un día puse una piedra encima de tu nombre
y me dije: iré cantando hasta mi casa.
Y canté,
como una loca sobre sus piernas fuertes,
como río loco canté.
Hasta que el canto empezó a hacerse agüita rala
(ni para regar guisantes)
y entre paso y paso
se me fue perdiendo un pie.
No acierto a ver el tejado de mi casa ni el árbol
más alto
¿será que me dejé el corazón bajo la piedra?
¿mi tonto corazón junto a tu nombre?

Sé que ya no llegaré a mi casa.
Sé que tampoco puedo volver.

Jaculatoria

Oh acércate, mi cabeza es de yerba,
olíscame, suave es tu hocico
y mis jugos son suaves, muérdeme,
arranca despacio mi cabeza,
mastícame, quiero no
quiero no pensar, ser una bola verde
en tu lengua, en el cielo de tu paladar
oh entre tus dientes, trágame,
vuelta en tus jugos gástricos
nada nada nada
oh amor en tu panza de toro ahora
y siempre en tu ardentísima santa bosta,
amén.

(*hueso húmero,* Lima, núm. 30, marzo de 1994)

MARÍA ANTONIETA FLORES

AGAR (fragmentos)

En el vientre de mi madre mordí las arenas del desierto

***

en este desierto
la ventisca borra mis pasos
la huida traga mi nombre

***

de tus manos:

pan
una bolsa de cuero con agua

inmenso es el desierto de Bersebá

***

el viaje lleva siempre una dirección
un transcurrir hacia tu centro
un retornar
y si la flecha no llega se desintegra:

puerto mío

destino del pasaje
alojamiento

lugar que no tiene nombre

***

Ay
que si le digo
no me escucha
y yo muero

esta lumbre no se vuelve ceniza

Ay
que si le estoy
no me encuentra
y yo estoy viva

EDUARDO CHIRINOS

RETORNO DE LOS PROFETAS

para Antonio Claros

> El sol se hará oscuro para ellos
> pero pronto han de volver
> MIQUEAS III, 6

Los profetas han muerto.
Cuernos de guerra anuncian la pronta llegada de la
     peste,
nuevos tiempos de miseria y escasez.
El campo de batalla está desierto, el cielo se oscure-
     ce, la infinita
rueda se ha quebrado.
Dicen que ángeles bellos y monstruosos nos vigilan
pero ya no tenemos ojos para verlos.
Los profetas han muerto.
Atrás los sucios velos que ocultaron la verdad de
     nuestros rostros,
las ramas que ocultaron la Serpiente cuando roga-
     mos placer
y nos dieron a cambio la resignación.
Textos venerables son ahora pasto de las llamas,
sólo la lechuza mira con indiferencia la corona
que rueda a los pies del más miserable de los dioses.

Sólidas estatuas se arrodillan, gimen, se arrancan los
   cabellos,
los mástiles que antaño sujetaran los más bravos marinos
golpean la memoria de los dioses que quedan,
¿a quién debemos acudir cuando nos coja la peste?
Los mendigos del reino asaltan los jardines, despre-
   cian los oráculos, reparten por igual sus perte-
   nencias.
Los nobles del reino conservan sus arcas, su vinos,
   sus mujeres,
el miedo que gobierna la implacable voluntad de los
   presagios.
Los profetas han muerto.
Nadie ahora nos engaña, nadie nos confunde, nadie
nos dice la verdad, y estamos solos.
Estamos solos esperando la señal que nos indique
dónde hemos de ir para honrar con dolor a los profetas.

(*Infame turba*)

PÁGINAS ANTIGUAS

Páginas antiguas se han grabado con hierro en la memoria
y poco es en verdad lo que nos queda.
La inteligencia naufraga en las olas de un mar desha-
   bitado,
alfabeto de brumas que nadie reconoce,
vano espejo que a fuerza de mirar ya no refleja nada.
Sólo el sueño anuncia en la noche los presagios,
nos sumerge sin piedad al fondo de las aguas

y nos muestra el futuro a través de los cristales.
(Arden sin cesar las viejas ruinas, se desploman cate-
    drales, *se derrumban sólidos palacios.*)
El sueño, ahora lo sé, es real porque mantiene la me-
    moria de un dolor antiguo.
El sueño, ahora lo sé, es real porque mantiene la
    máscara que oculta y deforma nuestros rostros.

Cuando nos fue dada la sabiduría ya era tarde
y la tratamos como a un zapato viejo, la insultamos
con dureza y la cubrimos de rabia y de desprecio.
Así tu hermosa vida destinada al canto y a la medi-
    tación
se vio arruinada por la falsa realidad que cubren los
    preceptos.
Inútil mendigar desnudo en los patios de una iglesia,
inútil aguzar el oído y escuchar el canto silencioso de
    las aves.
Poco es en verdad lo que nos queda
y hemos renunciado a la vana pretensión de cono-
    cerlo todo.

JUNTO A LA TUMBA DE SALINAS

Un pequeño saurio atraviesa la tumba de Salinas,
husmea el óxido que mancha la blancura del már-
    mol
y se oculta rápidamente entre la hierba.
Entonces lo contemplo.
Qué de besos perdidos frente al mar,
qué de labios bebiendo sus gotas azules,
qué de cielos nunca hollados, fortalezas
donde el amor se rindió a los abrazos de nadie.

347

Nadie, Salinas, buscando entre sombras un cuerpo
    desnudo,
nadie en las palabras que alguna vez ardieron por no-
    sotros.

Yo también me enamoré con tus poemas.
Ellos sabían lo que habría de ocurrirme, me leía en
    ellos,
pero tú plagiaste mi vida, la dignificaste, la hiciste del
    revés.
¿Mereces entonces el perdón?
Ahora que estás bajo un cielo verdadero,
devorado por los insectos de la tierra, pronombre
encadenado a la carne de unos besos que yo di por ti,
te ofrezco estas flores.
Acéptalas, Salinas, como un homenaje de quien qui-
    so creer
y vivió feliz en el fecundo engaño.

LA LLUVIA

Vengo de una ciudad donde jamás llueve,
donde el cielo es (como dicen) color-panza-de-bu-
    rro
y el mar una invisible telaraña que enreda y confun-
    de el horizonte.
Esta tarde llueve en New Brunswick
y me he asomado a la ventana para contemplar otras
    lluvias.
Aquélla en Madrid, por ejemplo, donde el agua nos
    llegó hasta las rodillas
y seguimos caminando plaf plaf como si nada,
o aquella que nos sorprendió en Tumbes

348

con sus balsas y caimanes navegando un bosque de
       palmeras.
¿Qué decir del chaparrón que echó a perder la sepul-
       tura de Dante?

Pero ésa es una lluvia literaria.
Como decir que duró cuarenta días
o que llora suavemente en mi corazón, que no es ver-
       dad.

Es otra la lluvia que recuerdo.
Fue hace muchos años,
el agua salpicaba la tierra y formaba un barro azul y
       misterioso.
Era el silencio que me enseñaba sus metáforas,
su laborioso lenguaje deshaciéndose una vez más so-
       bre las piedras.

RARITAN BLUES

Aquí no hay bulla ni miseria,
sólo un bosque de árboles mojados y cientos de ardillas
correteando vivaces o escarbando una nuez.
A lo lejos un puente
una interminable fila de automóviles retorna a sus
       hogares
y nubes balando ante un perro pastor y amarillo.
¿Eres tú quien camina en las riberas del Raritan?
Recuerdo un río triste y marrón donde las ratas
disputan su presa con los perros
y aburridos gallinazos espulgándose las plumas bajo
       el sol.
Ni bulla ni miseria.

349

El río fluye educado como en una tarjeta postal
y nos habla igual que hace siglos, congelándose y
descongelándose,
viendo crecer a sus orillas cabañas, iglesias, burdeles,
plantas refinadoras de petróleo.
Escucho el vasto rumor del Raritan, el silencio de los
    patos, de los enormes gansos salvajes.
Han venido desde Ontario hasta New Brunswick,
con las primeras nieves volarán al sur.
Dicen que el río es la vida y el mar la muerte.
He aquí mi elegía:
un río es un río
y la muerte un asunto que no nos debe importar.

(*Raritan Blues*)

VÍCTOR FOWLER CALZADA

MIENTRAS LA NOCHE IMITA A LA MAREA

Mientras la noche imita a la marea
y entra por tu patio, lo inunda
y aun el gusanillo se detiene,
tu vecino está ardiendo.
Su cabellera y sus manos sueltan chispas
que incendian el aire a su alrededor.

Nadie lo capta, nadie sabrá jamás
que da vueltas en su cuarto
y que ilumina un prado aún no descubierto.
Las ropas no dejan ver la luz
que sube por su pecho: es una luz intensa,
casi cegadora.

Mientras la noche imita a la marea
y entra por tus ojos, los apaga
y aun el mejor vigía se distrae:
el desconocido que pasa silbando frente
a tu ventana está ardiendo,
podrías ver el brillo enorme que hay
bajo su camisa y acercar las manos.
Nadie lo capta, nadie sabrá
que era irrecuperable como es una vela.
A esa hora que huyen los caballos
uno debiera quitarse la armadura,
alzar los puentes hacia la otra orilla

antes de que amanezca.
Tú, yo y el Desconocido
estamos pasando raudos como estrellas que caen,
estamos ardiendo a diario
como quien cumple un rito.

Y nadie lo cree, nadie espera
que en la casa vecina haya otros muriendo
de la misma muerte donde se alumbra a nadie.
Estamos pasando raudos como flechas
que pocas veces se entrecruzan.
Y mientras, como quien sí sabe lo que pesa el
    tiempo,
sobre la noche que imita a la marea.

Escucho mis palabras
cual los ritmos pausados de la lluvia
cuya belleza es hasta rozar la tierra.
Totalidad imposeíble del discurso,
cuerpo desmembrado en cuyas partes pongo mi
    razón
que los vientos empujan y dejan sin raíz.
En el vuelo de un ave recorro este paisaje
de frases que en mi cuerpo se quiebran
cual figuras de hielo entrechocado.

Ya no amo la canción de mis palabras,
ni el pasado sabor de su encadenamiento
que mi lengua gustaba
como los granos del cereal amargo
que muerde el labrador antes de la cosecha.

Signos todos, organismos vacíos:
el mudo himno de mis noches cae

352

como la fina lluvia sobre el mundo;
ella aclarando formas que no puedo mirar,
yo dibujando manchas.

NADA DE LO PERDIDO VOLVERÁ CON LA LLUVIA

Nada de lo perdido volverá con la lluvia.
Las voces, los gestos de aquellos
a quienes deseábamos
y ahora son un hueco en la respiración.

Quemaduras al borde de las mesas,
en las paredes, encima de la piel.
El agua será una purificación,
pero no es un regreso.

No vuelven los objetos, ni sonidos,
ni escenas que tuvieron algún significado
o incumplieron su misión.

Tal vez, mientras observamos absortos
la enorme pared de agua que se desploma,
pasa lo Perdido, aunque irreconocible ya.
La memoria lo ha transformado en bucólico.

¿Quién tocaba a la puerta aquella vez?
¿Qué mano recorría los cabellos
haciendo breves surcos
y era un placer sentirla?

Sensaciones lejanas, perdidas.

Tal vez enfrente de nuestros ojos

todo se repite, pero gastadas las formas,
como en los aquelarres.

Quemaduras al borde de las mesas,
en las paredes, encima de la piel.
Quemaduras en el cerebro.

Establecer analogías con el agua
es peligroso en este país
donde nunca termina de llover.

LIMPIA LAS HOJAS QUE EN LA FUENTE

Limpia las hojas que en la fuente
caen enturbiando la claridad del agua.
Hunde tus manos en la corriente,
sumerge el rostro y bébela.

¿Qué importa el rumor de las ciudades que un día
    desaparecen?

¿Qué importa el animal
que rompe la noche con sus gritos?

Goza el modo en que tus manos
juegan con el agua
y alégrate del tesoro que posees.

Limpia las hojas que en la fuente
caen, tal como hicieron
los sacerdotes de remotos cultos.

Sé para tu fuente un esclavo

354

pase lo que pase,
oigas lo que oigas.

CONFESIONARIO

> ¿Oye alguien mi canción?
> J. LEZAMA LIMA

Yo que no he visto los sauces
donde supongo cantan aves fabulosas
y que tampoco amo las palmas
ni el sonido del aire entre las cañas.

¿Alguien vendrá a cargar con mis baúles,
a jugarse por mí la vida si hace falta
en el riesgoso y prolongado viaje?

Yo no he visto la nieve,
pero tampoco siento excitación
contemplando los animales que poseo
mientras pastan en la llanura inmensa y verde.
Sin embargo, el rumor de lejanas cascadas
me acelera el ritmo de la sangre.
Esa agua que salta en mi imaginación
es más real que ningún otra
porque baña mi espíritu y me calma.
Y es el agua más segura que conozco.

Cuando el ave atraviesa los océanos
no piensa que es tan cruel la lejanía.

Yo que no he visto la nieve
he jugado entonces con la nieve,

355

la he abrazado como se abraza
a una hermana perdida.

Yo que no he escuchado el aullido de los lobos
hay noches en las que tiemblo
mientras pelean a mi puerta.

¿Entiendes ya que los sauces no existen
ni la nieve?
No son más que una sábana lanzada
encima de un animal que duerme.

¿Alguien escucha mi canción,
está dispuesto a jugarse todo por mi canción?
Los rollos de seda chinos
donde aparece dibujado un unicornio
con un carbunclo en la frente,
no son más que la sábana que esconde
al animal que duerme.

(Retrato de grupo)

MALECÓN TAO

El movimiento del oleaje
y la oscuridad: diálogo estelar.
La ciudad viva disminuye

para ceder (entidad)
a geometría imaginaria.

Sobredimensión. El agua toca
mis dedos, los sujeta en el balanceo

356

de dos respiraciones en equilibrio.

¡Me liberé!

LOS SÍMBOLOS MÁS CLAROS

El brazo conducido por las aguas
y la mano crispada en torno al pájaro
que aletea, que desea escapar.

Barroca floración en la corriente:
centenares, miles de cuerpos navegando
inconexos.

Apenas visible el rostro, temeroso
de saber la verdad
de aquello que contemplas,
miras cruzar los símbolos más claros.

Encima de tu cabeza el cielo entrega
su transparente azul.
La mano y el pájaro.

EL ANILLO DE HIERRO

Con el dolor de no entender,
pero también con la alegría
de no entender, desperté.
Ante mis ojos las formas semejaban
ser lo no definible, huían las palabras,
se rejaba el sonido.

Noche había sido la anterior entre las noches,
había tocado médula;
experimenté lo que es ser arrancado
y no había voces en todo aquello.
Sentí la soledad, la melodía en el aire
pesaba sobre los hombros.

Nada lo provocó: un airecillo
un color azaroso, un fino vaivén.
El arribo de algo inmenso
bañó el cuerpo, lo disolvió.
Traté de averiguar en el espejo
qué pasaba y fueron estas letras de hierro
sobre el labio.

ISLA QUE RESBALABA

Traté de sostener entre los dedos
isla que resbalaba,
su blanca playa parecía incendiarse
bajo el sol,
la noche musical llena de puntos.

Conversación sobre la yerba verde;
el cuerpo de los dioses desnudos,
su alegría. Era redondo el seno
y pleno el sabor;
os juro que lo tuve.

No esta aridez sajando,
mira el polvo cubrir las provincias;
os juro que lo tuve.

Sin vivir ni morir he contemplado,
pero no pude hacer del tiempo un hilo.

Resbaló de mis dedos y se hundió.

ESTARÁN

Estarán en el mismo sopor,
boca y desalientos imaginé rodar
como los juguetes de un niño.
Boca fría, apenas un nombre arrancado
de las listas, letras que algo tan raro
como nuestro azar
hacen que tome la forma del destino:
¿ahora quién fracasa?
Todos buscamos formas de la felicidad,
pero ¿ahora quién fracasa?
Boca no de animal, sino de maquinaria;
la maquinaria alimentándose
de las sagradas palabras
y ellos dormidos en el agua gris,
poblada de lienas, el agua gris.

Conozco ese paisaje: es monótono,
desesperante. Conversarán las mismas palabras,
tocarán cálido semen: la Nada.
Pasearán las calles de la ciudad,
una vez más lamentarán su ruina;
querrán huir, avejentados.
Una misma cosa ya el cuerpo y la sombra.
¡Ah, he visto esos rostros envueltos
en nylons ferozmente apretados!

LIBREJECUCIONES

Con el repaso del teclado
clarifica, minucia.
Es como acariciar la barbilla
de Hegel que todo lo dejó escrito:
tesis, antítesis, síntesis.

Etapas o estaciones para el descanso
en el ascenso al sol
de una nueva metafísica.
En las alas de ese pájaro me eduqué,
atravesé los países futuros.

He jugado, lo mismo que un niño,
a soplar una pluma;
si cae al suelo, pierdo.

Eran países armónicos como
la construcción de una coral de Bach,
tejidos por arañas fulguraban
cual catedrales en el bosque.
(Dios no era visible, se dejaba adivinar tan sólo.)

Regresar del niño alucinado al pájaro
y luego a Hegel empollando el cerebro
lo mismo que una madre-gallina:
sostiene con desesperación y tiene la comicidad
de lo patético extremo.

Oh, Dios, qué bella esta rotura
de las catedrales,
qué imponente la música de Bach.

(Inéditos)

PATRICIA ALBA

PARADA

En Lima cuando acaba la tarde es mejor no mirar
Nada es real
Y algo oscuro te va aplastando aún más al pavimento.
Así camines rodeada de carretillas
La hora es incierta, y a pesar de los cientos de luces
Que se encienden a lo largo, todo permanece igual.
El momento es perfecto para lo malo, las caras
Alisan sus rasgos y un vapor oscuro protege a las per-
    sonas.
La ambigüedad te defiende de los peores
Pensamientos; nada es real
En Lima a las seis de la tarde puedes tomar un café
O tirarte bajo un carro.

A las siete, después de la gente o de lo malo,
La ciudad reposa en una ajustada oscuridad
Y mis ojos la alumbran.

(*O un cuchillo esperándome*)

CAMINO A RILA

I
Entonces el camino me recibió
Como los miembros de un cuerpo exhausto,

361

Derrumbado,
Cada pliegue de la ruta parecíame un hallazgo

Sobre moles que asemejaban monstruos antediluvia-
        nos
Crucé bosques y neblina, presagios
Y el canto de algún pájaro sin frío

El viento atravesaba malos
Y buenos pensamientos
La autopista bifurcándose negra
Como la línea de la vida en una mano enferma

Enceguecida por recuerdos
("Camino ten piedad del viajero cuya pena mella las
        montañas")

Versos mal citados, lluvia
O rabia que siempre empieza con dolor,

El agua golpeándome la cara
Rompió en añicos esta imagen;

Ahí, en el Monasterio de Rila,
Desde una puerta suspendida entre senderos
Y palabras imposibles, Ella habló:
Lo oculto y lo no dicho
Lo visto y lo nombrado

Ya nada podrá calmar este silencio.

II

Entonces supe dónde me esperabas
Y estando frente a ti,
De pie pero en silencio,
Acerqué mi vela a las otras peticiones
Y tuve el fuego
Y sin despegar mis ojos de tus ojos, pedí por él:
(Que Antonio alcance ahora y no después
La helada paz de estas montañas)
Y cayeron de mi vela dos lágrimas de leche,
Y en cada una vi el llanto de estos años
El alimento derramado.

III

He viajado
He transitado subida en mí, sentada en mí
Un cúmulo de años sanos y podridos
Como un atado de tubérculos antiguos aún bajo la
    tierra.
He caminado para encontrar tu Puerta
He sentido el trueno sobre mí y le he temido,
Deambulé en tus sembríos donde los viejos trabajan
    sin hablar
Envueltos en recuerdos
Como en el plástico que los protegía de tus lluvias
He tenido que cerrar los ojos, he aprendido tu lec-
    ción
Virgen de los Balcanes
Escucha las palabras de una muchacha que, como tú
Padeció los dolores de la Visión y se creyó perdida,
Señora de lo oscuro y lo dorado
Madre bizantina
Única en medio de estos montes y sus ruidos

Solitaria en medio de la lluvia y sus anuncios
Sola, debajo o encima de éste mi cuerpo que es tuyo
Y me devora.

(*hueso húmero*, Lima, núm. 30, marzo de 1994)

MARTHA KORNBLITH

NO HAY NADA QUE ME DUELA MÁS

No hay nada que me duela más
que el dolor de mis padres
por sus padres muertos.
Cuando brindan calladamente en su memoria,
en un almuerzo frente a su niña linda viva.
Cuando mi mamá le lleva flores
a su mamá en el cementerio.
Yo me veo frente a su tumba
llorando algún día.
Porque ya no la tengo,
y ella ya no tiene a su niña linda.
Me acordaré que me contaba
cuentos sobre su mamá que a mí me aburrían
como una forma de dejar un atisbo
de su memoria.
Yo estaré alerta de rescatar que:
a mi papá de niño sólo le podían dar un penny
para ir a jugar a
Coney Island.
Que mi mamá se estrujó toda la vida
entre sentimientos de culpa
porque en su época no existía
el confort de los psiquiatras.

CLÍNICA MONSERRAT

Estaba permitido
embriagarnos con agua
para olvidar
lo que no éramos,
porque al fin y al cabo
todo había perdido su sabor.

Éramos
seres expulsados del Edén del mundo,
para nosotros
no se hacía la luz,
atrás nos habían dejado
los paraísos.

Eran cruentas las despedidas
en la víspera de alguien
que se iba a soñar
que alguna vez abriría la puerta.

Todos nos dijimos
visitarnos en un mundo mejor,
pero no cumplimos la promesa.

Ansiábamos entre los muros
un horizonte que no veíamos
como un anuncio que promete
una isla de mares cristalinos.

Esperábamos a nuestros doctores
amasando el pan del almuerzo
para fingirles
que aún existíamos.

En las horas más rancias
nos tomábamos de los brazos.

A veces se nos permitía
echarnos al sol
para no vernos.

Circulaban los libros,
Wayne Dyer, Buscaglia,
Cómo vivir la vida feliz,
La universidad de la vida
y otros.
Para los más sabios
la poesía era un lugar
donde orquestar su huida.

Hubo un hombre.
Me regaló a Laing y a Cooper
y aunque predicó allí la antisiquiatría
no sobrevivió a la burla
de los conjuros médicos.

—Pintor se decía—
traficó con droga y dinamita.
Propagó ofertas de matrimonio
que tenían como única garantía
algunos pésimos bocetos.
Entonces le mostré la psicopatía
en un poema del colombiano Asunción.
Saltó los muros.

Allí encontré
las mejores metáforas.

Mi amiga y yo hablábamos
de conciertos de perros en las noches,
de ladridos que creíamos
nos llamaban a nosotras.
Supimos que el delirio era
una forma de sostenernos
en los precipicios.

Orquestamos bailes
con músicas que no sonaban.

Salvo las horas de miedo
también era posible reír.
De las reuniones de quejas,
de la carne dura,
de falsos mormones
que profetizaban nuevos advenimientos.

También recé
a un Dios que no era el mío
cuando nos juntábamos a las siete
después de la cena.
Nos permitimos mezclar
la leyenda de Cristo
con la de David y Salomón,
porque cualquier cosa era buena
si se trataba de hallar
una esperanza en ese templo.

No creo que fueras mala,
clínica Monserrat,
sólo que tenías cosas buenas y malas.
Te olvidé cuando la libertad
se me reveló,

se posó como un estandarte,
como algo que ya no me desmerece
y me obliga
en un muro de ladrillos
frente a la ventana ahora abierta.

Desde entonces
Dios es alguien
que resurge de esos garabatos
para no saber
que aún hay seres
que en las madrugadas
maúllan al unísono
llamando a sus madres.

(Oraciones para un Dios ausente)

SAGA DE LA FAMILIA

En todas las casas
siempre habitará un poeta
con una hermana (que no es poeta)
que le dirá
que escriba una biografía
sobre su familia.
En todas las casas
habitará una poeta
—loca además—
como aquellas que sostienen
a duras penas
sus propias biografías desdeñables:
Ellas avizoran pasados autistas
mujeres que dicen palabras soeces

369

dan tumbos a medianoche.
En todas las casas
habitará un primo lejano
—que vive en otro país—
y que busca (en inglés)
la génesis de la familia.
Conoció, hace años
a esta pariente esquizoide
(tan callada, tan lejana —dijo—)
("So quiet, So Withdraw)
No la reconoció en su última foto
("lucía tan diferente")
("She looked so different,
so atractive, so outlocked)
En todas las casas
habitará una hermana poeta
—loca además—
que busca su propia desdeñable
génesis
(aquella que ya conocemos)
En todas las casas
habitará una hermana
que le pedirá a su hermana poeta
que escriba la historia
de la familia
Esta poeta (loca de la casa)
pasará a formar parte de esta saga
el día en que deje el teléfono
                              desconectado
en el filo de la madrugada.

***

Asistir un sábado por
la tarde a una librería
sin sopesar
los tontos que éramos
que plagiábamos hasta la
desdicha y el suicidio.
Asistir un sábado a la
librería
para copiar a Silvia Plath
o al más cercano vecino.
Aunque igual,
casi todo convergía siempre
en infortunio
era un argumento para
tener de pronto
un rapto de inspiración
y correr de vuelta a mi casa
para escribir un poema
sobre esta ciudad
que tanto detesto.

Sábado es día para odiar
a esta ciudad
para odiar a esta ciudad
y a sus poetas
hasta la muerte

***

Hoy
se me ha perdido el mundo.
Es a mi propio extravío
lo que busco.

371

Es Martes
leo a Kristeva
("la melancolía es estéril
si ella no deviene en poema").
Es Martes
y hace un mes
mi mano izquierda
ardía en carne viva.
Conocí a un médico
al que amé con locura.
Ese hombre lavó
mi sangre
ese hombre limpió
mi piel quemada
con indulgencia.
Ese hombre conoció
mi llanto
pero ese llanto
no era un llanto
que venía de adentro
era un llanto
distinto,
un llanto de afuera.
Es Martes
leo a Kristeva:
("Habito la cripta
secreta de un dolor
sin palabras").
A él le dedico
"Del dolor puede surgir
el amor, el más profundo
amor".

Es Martes
y leo a Kristeva:
"La melancolía es
una perversión,
a nosotros nos toca
conducirla hasta las
palabras y la vida".

(*El Papel Literario, El Nacional,*
Caracas, 15 de septiembre de 1996)

ROLANDO SÁNCHEZ MEJÍAS

JARDÍN ZEN DE KYOTO

Sólo un poco de grava inerte
quizá sirva para explicar
(al fin como metáfora vana)
que la dignidad del mundo consiste
en conservar para sí
cualquier inclemencia de ruina.

El monje
cortésmente inclinado
quizá también explique
con los dibujos del rastrillo
que no existe *el ardor*,
solamente el limpio espacio
que antecede a la ruina.

Alrededor del jardín
en movimiento nulo
de irrealidad o poesía
pernoctan
en un aire civil de turistas y curiosos
sílabas de sutras, pájaros
que estallan sus pechos
contra sonidos de gong. Todo envuelto
en el halo de la historia
como en celofán tardío.

El lugar ha sido cercado:
breves muros y arboledas
contra el mundanal ruido
suspenden la certeza
en teatro de hielo.

La cabeza rapada del monje
conserva la naturaleza de la grava
y de un tiempo circular, levemente
azul: cráneo de papel
o libro muerto,
absorbe el sentido
que pueda venir de afuera.

En la disposición de las grandes piedras
(con esfuerzo
pueden ser vistas
como azarosos dados de dioses
en quietud proverbial)
tampoco hay *ardor*. Sólo un resto
de cálida confianza
que el sol deposita
en su parodia de retorno sin fin.

La muerte
(siempre de algún modo poderosa)
podría situarnos
abruptamente dentro
y nos daría, tal vez,
la ilusión del *ardor*.

Igual a un mimo, entonces,
trataríamos de concertar
desde el cuerpo acabado

el *ninguna parte donde hay ardor alguno*
en el corazón secreto
que pudiera brindar el jardín.

Pero hay algo
de helada costumbre
en el jardín
y en el ojo que observa.
Es posible que sea el vacío
(¿por fin *el vacío?*)
o la ciega intimidad
con que cada cosa responde
a su llamado de muerte.

Y esto se desdibuja
con cierta pasión
en los trazos del rastrillo
junto a las pobres huellas del monje,
entre inadvertidas cenizas de cigarros
y otras insignificancias
que a fin de cuentas
en el seno del jardín
parecen caídas del cielo.

MARCAS

Han vuelto algunos desterrados, dando tumbos, la
ropa raída, los ojos inservibles en un rictus animal.

En las aldeas juegan con metales y balbucean emblemas confusos, añorando los espacios abominables
que conocieron.

376

ANALECTAS

Se trata, siguiendo el consejo de Confucio, de poner orden: primero en ti y luego en tu familia. Nada de esos niños que se suicidan, consecutivos y alegres, colgados de las lámparas. Ni de ese perro que adopta configuraciones ajenas a su perridad, degenerando en zorro o en otra sustancia antipática. Ni de esa mujer —sí, tu esposa— que dispone en tus libros una caprichosa concepción de la Cultura. Pon orden en ti. Serena tu corazón.

ENSAMBLAJES

A los chinos el éxodo los vuelve doblemente paradójicos.

Ya en otras tierras, su sentido del espacio puede definirse con la fea frase: "episteme trocada".

Los tradicionales "espacios salvajes", que en China sabían mantener a raya con límites bien definidos, en otras tierras se tornan lejanos y confusamente ubicuos.

Entonces muchos optan por levantar —sobre el piso de sus covachas, en rincones de lavanderías, zigzagueando entre la exigua agricultura de los patiecitos— novísimos "espacios salvajes" en escalas simbólicas.

Esa técnica ha recibido el nombre de "ensamblajes".

Con el devenir de los Tiempos Modernos, dichas *mises en abîme*, bajo las percepciones de turistas, sinólogos y literatos, han terminado por convertirse en bellos-objetos-culturales.

Sólo algunos descendientes de chinos –transgresores, regresivos– tratan de someter los "ensamblajes" a nuevas disipaciones de sentido. Son llamados, por el resto de su comunidad, con indulgencia y desprecio: "esos endemoniados".

A PIER PAOLO PASOLINI

Ya habías muerto, mucho antes,
de transhumanamiento o
en desacuerdo
con El Vasto Poder Del Lenguaje,
muerto, es decir: vivo
en la dimensión donde el tiempo
de la muerte
obstruye
el movimiento de la vida.

Y esto lo sabías
frente a un sol meridional:
las manos en los bolsillos,
la corteza dura de tu rostro
y la realeza de otros rostros
modificando el horizonte.

El tiempo olía a cebollas:
un crudo vaivén o deshojarse
de películas absortas, rápidas

y completivas como el muñón que
arma la presta mano médica.

Pero la cebolla (que es la Realidad!)
desmultiplicaba sus planos. Entonces todo
desde un principio
estuvo signado
por esa fatal ausencia de armonía.

Pero no es sólo esto, no.

Si fuera sólo esto
sería menos complicado y
el Advenimiento (la intervención del ser
o de cualquier otro trasunto como la escritura)
quedaría
por fin
en Completud.

Hay más cosas: bajo
un cielo convexo y frío
(cielo de post-tiempo)
henos allí, avanzando, no ligados
por el Lenguaje, apenas
por el lamento
(la taigá, el lamento culpable de la matria,[1]
lobos, etc.).

---

[1] Hijo mío, yo que fui sólo vida
te he dado el amor de la muerte.
Naciera de la prehistoria la suerte
que por la furia de la masa enfurecida
sacude la cumplida historia.
(*Balada de la madre de Stalin*, de Pier Paolo Pasolini.)

Sí. Mucho menos
de lo que pensabas: la zona
obscura y tibia
de la lengua (que incluye la Lengua)
latiendo oportuna,
completamente, el cigote
en la cavidad central del Tiempo,
puro imaginario de terciopelo,
leve y grave
allí, al alcance de la mano, diestra o
siniestra, en el letargo de silencio
todavía interior aunque casi suprahistórico
(como el movimiento
de las partículas
de un terrón de azúcar sobre la mesa).

También junto al fuego:
en la dilapidación de cigarros y saliva,
la frente
proyectando
a la orilla del mar
un perfil salvaje,
la utopía entre ceja y ceja,
entre muslo y muslo el roce con la luna
y entrevisto
de golpe
el Sentido: la pasión, la fuente
donde manan, una a una, las palabras.
Todo tan metafísico, aún,
para nuestras sólidas esperanzas históricas.[2]

[2] El hambre, aún, es metafísica. Ayer, en la carnicería, hacíamos cola para el pollo. Esta vez fue un pollo traído de Guerlesquin, cuya novedad eran las gruesas capas de grasa. Los viejos

Pero no es sólo esto. Ni
en el deslizarse
de la muerte
a ras de asfalto
mientras la cámara no tomaba en consideración
los escasos segundos
en que se produjo el vaciamiento,
el segamiento de la vita:
la incompletud plenaria de un pecho
que rechina su corazón
contra el mundo todavía cálido.................

¿Y qué nos sucedía de este lado?
¿También el Suceso?
¿La intervención de la Otra Parte?
¿O sólo el fantasma del Eventum?

Aquí.

Más allá del como.

A la izquierda o.

Absortos

Como si la Historia
de súbito:

observaban el pollo de Guerlesquin con la suspicacia helada y ávida de quien no incluye a Guerlesquin en la percepción y sí las no-
vedosas capas de grasa del pollo de Guerlesquin. Aunque, de algún modo, ellos *sabían* (¿sentido común que proporciona la
Historia?).

[   ]

¿Qué hay de todo esto
si no un rostro
en el vacío?

¿Qué hay de todo esto
si no un rastro
en la nieve?

¿Un trazo
sobre el asfalto
de escritura trágica?

Muy visceral todavía,
muy dentro afuera todavía?

Y por si fuera poco
el sol[3]
interviniendo
en la rigidez de tus pómulos
intrahistóricos aún!

(*Derivas I*)

[3] Termino de escribir este poema en la mañana. Por la ventana penetra el sol. La escritura, hasta ahora casi ininteligible, va adquiriendo un vigor especial con la luz. "¡El sol también es histórico!", me digo en un rapto.

ROBINSON QUINTERO OSSA

TRES ÁRBOLES
(Invocación en la muerte de mis hermanos)

Señor
de los tres dejas el de tronco
menos fuerte
el de frutos tardíos
el de más débil fronda
Afianza mis raíces
cuida mi savia
permite que lleguen pájaros
y que canten
para que los que vengan
disfruten de mi sombra.

AUTORES

LIZARDO CRUZADO (Trujillo, Perú, 1975). Obtuvo el primer premio del concurso literario "Lundero" convocado por el diario *La Industria* de Trujillo en 1990 y 1993.

VERÓNICA VIOLA FISCHER (Argentina, 1974). Ha publicado *hacer sapito* (Buenos Aires, Nasud, 1995). Sus poemas incluidos provienen de su libro *arveja negra* que puede leerse en la revista electrónica *InterNauta Poesía*, Buenos Aires. (http://www.poesia.com)

SANTIAGO VEGA (Quilmes, Argentina, 1973). Está antologado en *Poesía en la fisura* (Buenos Aires, Ediciones del Dock, 1990). Su libro *Zelarayán* ganó el premio del II Concurso Hispanoamericano "Diario de Poesía" (1997) y se publicó en *InterNauta Poesía;* ofrecemos aquí una selección.

CLAUDIA MASIN (Resistencia, Argentina, 1972). Licenciada en psicología, prepara su primer libro, *Bizarría,* así como un estudio crítico-biográfico sobre Arthur Rimbaud. Ha obtenido los premios municipales de poesía en Chaco y en Capital Federal.

MÓNICA VELÁSQUEZ GUZMÁN (Bolivia, 1972), Estudió literatura en la Universidad Mayor de San Andrés donde lleva la ayudantía del Taller de Lenguaje. Escribe crítica literaria en revistas de su país, y ha publicado un libro de poemas, *Tres nombres para un lugar* (La Paz, Ediciones Hombrecito Sentado, 1995). La reconocida poeta Blanca Wiethuchter dirige esta editorial dedicada a las nuevas voces bolivianas.

NORGE ESPINOSA MENDOZA (Santa Clara, Cuba, 1971). Graduado de la Escuela Nacional de Teatro. Ha publicado en *Huella, Juventud Rebelde, Letras Cubanas* y *El Caimán Barbudo.* Obtuvo en 1989 el premio de poesía de *El Caimán Barbudo* por su libro *Las breves tribulaciones* (La Habana, 1992).

VICTORIA GUERRERO (Lima, 1971). Estudió literatura en la Universidad Católica de Lima, en cuyos Juegos Florales fue mencionada en 1988. Ha publicado *De este reino* (Lima, Los Olivos, 1993) y *Cisnes estrangulados* (Lima, 1996).

J.P. EMANUELLE (San Juan, Puerto Rico, 1971). Hizo el bachillerato en filosofía en 1992, se dedica a la psicología profunda y las religiones comparadas. Éstos son los primeros poemas que publica.

HOMERO PUMAROL (Santo Domingo, República Dominicana, 1971). Obtuvo el premio de poesía de la Universidad Nacional Pedro Henríquez Ureña con su libro *Orador de opio,* de próxima publicación.

MARCOS PÉREZ RAMÍREZ (La Habana, 1971). Poeta puertorriqueño. Obtuvo su licenciatura en estudios hispánicos en la Universidad de Puerto Rico. Dirigió con Diego Deni la separata AIRE del semanario *Claridad.* En la Universidad de Maryland termina actualmente el doctorado en literatura hispanoamericana. Los poemas incluidos pertenecen a lo que será su primer libro, *Alejandría;* los dos últimos son de otro, en proceso, *La orilla letal.*

385

NÉSTOR E. RODRÍGUEZ (República Dominicana, 1971). Ha estudiado literatura en la Universidad de Puerto Rico y actualmente lo hace en la de Emory, Atlanta. Sus poemas han aparecido en revistas de San Juan, como *Posdata, Contornos* y *En la mirilla*. Los poemas inéditos que ofrecemos pertenecen a su primer libro en preparación.

ANDI NACHON (Buenos Aires, 1970). Trabajó en investigación de lectura y escritura poética con Diana Bellessi. Es autora de *Slam* (Buenos Aires, Nusud, 1990) y de *WARZSAWA* (Buenos Aires, Ediciones bajo la luna nueva, 1996). Enseña castellano, latín e informática en la Universidad Nacional de Quilmes. Participa en *Cambalache*, grupo de enseñanza de informática que trabaja con adolescentes de la Villa de Emergencia, Barracas. Prepara una novela, *Surf,* y otro poemario, *Lieder.*

GABRIEL PEVERONI (Montevideo, 1969). Su poema viene en la revista *trashumancia* (Guadalajara) como parte de una "Muestra de la poesía uruguaya más reciente" debida a Rafael Courtoisie.

LORENZO HELGUERO (Lima, 1969). Estudió literatura en la Universidad Católica en cuyos Juegos Florales de 1991 obtuvo el premio de poesía. Es autor de *Sapiente lengua* (Lima, Pedernal, 1993), serie de sonetos, y de *Boletos* (Lima, Pedernal, 1993), prosas de varia invención.

J.A. ROJAS JOO (Ciudad Juárez, México, 1969). Dirigió la revista *Capirotada* y se dedica al diseño gráfico. Su poema forma parte de la muestra de poesía fronteriza presentada por Alberto Blanco en la revista *Fronteras,* que publica el Consejo Nacional para la Cultura y las Artes y coordina César Meraz.

MONSERRAT ÁLVAREZ (Lima, 1968). Es autora de *Zona Dark* (Lima, 1991) y de *Cuentos haitianos*, escrito en colaboración con su padre, el periodista español Félix Álvarez. Actualmente vive en Paraguay.

MARTÍN GAMBAROTTA (Buenos Aires, 1968). Ha publicado *Punctum* (Buenos Aires, Tierra Firme, 1995) por el que recibió el Premio "Diario de Poesía." Es coeditor de la revista electrónica *InterNauta Poesía*.

JUAN JOSÉ DANERI (Rancagua, Chile, 1968). Poemas suyos vienen en los colectivos *Retaguardia de la vanguardia* (Viña del Mar, Altazor, 1992) y *Los novios de Ariadna* (Viña del Mar, Altazor, 1993).

HERNÁN LA GRECA (Buenos Aires, 1968). Licenciado en ciencias de la comunicación, enseña en la Universidad de Buenos Aires. También trabaja como redactor publicitario. Tiene dos libros de poemas inéditos, *El gesto ajeno* y *Nombres de otros*.

GLORIA POSADA (Medellín, Colombia, 1967). Artista y poeta. Ha realizado importantes instalaciones en su país, Estados Unidos y Alemania. Finalista en 1990 del Concurso Nacional de Poesía Eduardo Cote Lamus con su libro *Vosotras* (1993). Recibió el Premio Nacional de Poesía Joven "Ciudad de Popayán" por *Oficio divino* (Bogotá, Colcultura, 1992).

MALÚ URRIOLA (Santiago de Chile, 1967). Es autora de *Piedras rodantes* (Santiago, Editorial Cuarto Propio, 1988) y *Dame tu sucio amor* (Santiago, Surada, 1994).

LAURA WITTNER (Buenos Aires, 1967). Estudió letras en la

387

Universidad de Buenos Aires. Tiene un libro de cuentos, *Pintado sobre una jaula* (1985). Sus poemas *Los cosacos y otras observaciones* salieron en *Diario de Poesía* (Buenos Aires, núm. 34). De su libro *El pasillo del tren* que apareció en *InterNauta Poesía* damos una selección.

SERGIO MADRID SIELFELD (Iquique, Chile, 1967). Formó parte del grupo de jóvenes poetas que en Viña del Mar editaron los colectivos *Retaguardia de la vanguardia* (1992) y *Los novios de Ariadna* (1993).

ALEJANDRO RUBIO (Capital Federal, Argentina, 1967). Sus poemas están tomados de la revista electrónica *InterNauta Poesía*, que dio a conocer su primer libro.

CARMEN VERDE AROCHA (Caracas, 1967). Licenciada en letras por la Universidad Andrés Bello en 1991. Trabaja en La Casa de la Poesía "Pérez Bonalde". Autora de *El quejido trágico en Herrera Luque* (Caracas, Pomaire, 1992).

JORGE FRISANCHO (Barcelona, 1967). Poeta peruano, autor de *Reino de la necesidad* (Lima, Asaltoalcielo Editores, 1988) y *Estudios sobre un cuerpo* (Lima, Editorial Colmillo Blanco, 1991). Sigue estudios universitarios en Nueva York.

MAYRA SANTOS-FEBRES (Puerto Rico, 1966). Es profesora de literatura en Puerto Rico. Ha publicado los poemarios *El orden escapado* (1991), *Anamú y manigua* (1991). Es también narradora y termina ahora su primera novela. Tres de sus colecciones de poesía aparecerán en un tomo. Los poemas que ofrecemos pertenecen a su próximo libro, *Huevo*.

ERNESTO LUMBRERAS (México, 1966). Estudió en la Universidad de Guadalajara. Fue de los primeros becados por el Fondo Nacional para la Cultura y las Artes en poesía. Coautor del colectivo de poesía *Desmentir la noche* (1986). Ha publicado *Clamor de agua* (México, Tierra Adentro, Conaculta, 1990).

LUIS GERARDO MÁRMOL BOSCH (Caracas, 1966). Licenciado en matemáticas por la Universidad Central de Venezuela en 1991. Es uno de los poetas dados a conocer en *Vitrales de Alejandría,* Antología poética del Grupo Eclepsidra (Caracas, Grupo Editorial Eclepsidra, 1994).

XAVIER ECHARRI (Lima, 1966). Ganó el primer premio en los Juegos Florales de Poesía de la Universidad Católica en 1990. En 1991 compartió el segundo premio de la Bienal de Poesía Copé. Autor de *Las quebradas experiencias y otros poemas* (Lima, Caracol, 1993).

JACQUELINE GOLDBERG (Maracaibo, Venezuela, 1966). Ha publicado *Treinta soles desaparecidos* (1985), *De un mismo centro* (1986), *En todos los lugares, bajo todos los signos* (1987), *Luba* (1988), *A fuerza de ciudad* (1989), *Máscaras de familia,* ganador del premio Fundarte de Poesía 1990, *Trastienda* (1991), *Una señora con sombrero* (1993), *Insolaciones en Miami Beach* (1995).

NADIA PRADO (Santiago de Chile, 1966). *Simples placeres* (Santiago, Cuarto Propio, 1992) es su primer libro.

GONZALO RAMÍREZ QUINTERO (Caracas, 1965). Escritor y crítico, ha publicado artículos en varias revistas de su país y América Latina. Estos poemas pertenecen a *Ciudad sitiada,* su primer libro, que será publicado por Tierra de Gracia, dirigida por Enrique Hernández D'Jesús en Caracas.

389

ALYNA BENGOCHEA (Pinar del Río, Cuba, 1965). Es bibliotecaria profesional y trabajó en la radio de Pinar del Río como comentarista cultural. Recibió el premio de poesía anual del Centro Hermanos Loynaz. Es autora de *Arca suicida* (1992) y *Excesiva presencia* (Pinar del Río, 1995).

JORGE FERNÁNDEZ GRANADOS (México, 1965). Ha publicado *La música de las esferas* (1991) y *El arcángel ebrio* (1992). Ha sido becario del Centro Mexicano de Escritores (1988-1989), del INBA (1991-1992) y del CNCA (1992).

PEDRO LUIS MARQUÉS DE ARMAS (La Habana, 1965). Publicó el poemario *Fondo de ojo* (La Habana, Extramuros, 1988) y *Los altos manicomios* (La Habana, Ediciones Trilce, 1993).

PAULA BRUDNY (Buenos Aires, 1964). Licenciada en matemáticas, fue cofundadora del Grupo Editorial Nusud. Es autora de la plaquette *Subterráneos* (Nusud, 1988) y de *Siete baúles* (Nusud, 1990). Prepara un nuevo poemario, *Vestirme deslumbrante*.

OMAR PÉREZ LÓPEZ (La Habana, 1964) Licenciado en lengua inglesa en la Universidad de La Habana. En 1988 fue mencionado en el concurso "David" de la UNEAC con el cuaderno *Algo de lo sagrado*. Miembro de la Asociación Nacional de Jóvenes "Hermanos Saíz" y de *Proyecto Diáspora(s)*.

ROBERTO TEJADA (Los Ángeles, California, 1964). De padre colombiano, vive hace once años en México donde dirige *Mandorla: Nueva Escritura de las Américas*. Es autor de *En algún otro lado: México en la poesía de habla inglesa* (México, Vuelta, 1992). Su poesía bilingüe ha aparecido en revistas mexicanas y norteamericanas. La serie "Cuerpo accidente" fue escrita en inglés y traducida por el mismo autor.

ANTONIO JOSÉ PONTE (Matanzas, Cuba, 1964). Compartió el premio del Concurso del Joven Poeta auspiciado por la Casa del Joven Creador en 1987 con el cuaderno *Trece poemas*. En el Concurso David de 1988 recibió mención en ensayo por su trabajo *A propósito de Marcel Proust*.

LADISLAO PABLO GYÖRI (Buenos Aires, 1963). Ingeniero en electrónica por la Universidad Tecnológica Nacional, como artista digital su poesía electrónica puede ser mejor apreciada en el Telnet. Los poemas que incluimos, hechos a partir del cálculo de probabilidades y la teoría de la información, vienen en su libro *Estiajes* (Buenos Aires, Ediciones La Guillotina, 1994). Llama a su trabajo "poesía virtual", y puede ser visitado en:
http://www.postypographika.com/menu-spl/generos/vpoesia.menu-sp.html

ROCÍO SILVA SANTISTEBAN (Lima, 1963). Es autora de *Asuntos circunstanciales* (1984), *Ese oficio no me gusta* (1987), *Mariposa negra* (1993) y *Condenado amor* (Lima, Ediciones del Santo Oficio, 1996). También de un libro de relatos, *Me perturbas* (1994). Trabaja de periodista, profesora, y guionista; en 1995 ganó el Concurso nacional de guiones.

ROGELIO SAUNDERS (La Habana, 1963). Ha publicado el tomo de relatos *El mediodia del bufón* y el de poemas *Polyhimnia* (La Habana, Casa Abril, 1996).

RAMÓN COTE (Bogotá, 1963). Es diplomático de profesión. Ha publicado *Poemas para una fosa común* (1984), *El confuso trazado de las fundaciones* (1991) e *Informe sobre el estado de los trenes en la antigua estación de Delicias* (Caracas, Pequeña Venecia, 1994). Tambien, la antología de poesía joven latinoamericana *Diez de ultramar* (Madrid, Visor, 1992).

JUAN CARLOS LÓPEZ (Caracas, 1963) Es profesor de arte por la Academia de Bellas Artes "Pietro Vannucci" de Perugia, y en la Universitá degli Studi di Perugia se doctoró en filosofía con una tesis sobre la teoría estética de Adorno. Hizo también un MA en estética en la Universidad de Essex. Es crítico de arte y trabaja como jefe de museología en el Museo de la Estampa y Diseño Carlos Cruz-Diez.

RICARDO ALBERTO PÉREZ (La Habana, 1963). Miembro de *Proyecto Diáspora(s)*. Recibió mención en el concurso "David" de 1990. Es uno de los *Doce poetas en las puertas de la ciudad*, selección de Roberto Franquiz (La Habana, Extramuros, 1992).

ZOÉ JIMÉNEZ CORRETJER (San Juan de Puerto Rico, 1963). Obtuvo en 1986 la medalla de poesía Francisco Matos Paoli otorgada por la Universidad de Puerto Rico. Autora de *Las menos cuatro* (1985), *Crónicas interplanetarias* (1990) y *Poemanaciones* (San Juan, Tríptico, 1991).

ARTURO YOUNG (El Paso, Texas, 1963). Es uno de los poetas del programa de Creación Literaria de la Universidad de Texas, El Paso, dados a conocer por Alberto Blanco en *Fronteras* (1996).

CARLOS AUGUSTO ALFONSO (La Habana, 1963). Ha publicado *El segundo aire* (1987), con el que obtuvo el premio "David" de la UNEAC, y *La oración de Letrán* (1993).

JOSUÉ RAMÍREZ (México, 1963). Es autor de *Hoyos negros* (México, Universidad Autónoma Metropolitana, 1995).

JOSÉ SANTOS (Puerto Rico, 1963). Su maestría en lingüística la obtuvo en la Universidad de Puerto Rico. Termina ahora el doctorado de literatura española en la Universidad de Brown. Es autor del poemario *Pequeño cuaderno gris* (1987).

GONZALO MÁRQUEZ CRISTO (Bogotá, 1963). Autor de *Apocalipsis de la rosa* (Bogotá, Hojas sueltas y común presencia editores, Colección voz visible, 1990).

JORGE HERNÁNDEZ (México, 1963). Licenciado en lingüística aplicada y master en estudios hispánicos, vive desde 1988 en Estados Unidos. En Chicago, es profesor, traductor y actor además de dramaturgo. Forma parte del grupo de escritores latinos que hace las revistas *Fe de Erratas* y *Abrapalabra*, y es autor de *Laberinto de errores* (Chicago, 1993). Poemas suyos vienen en el tomo *Tercer encuentro de poesía joven de la frontera norte* (México, Secretaría de Educación Pública, Programa Cultural de las Fronteras, 1987). Ofrecemos unos poemas inéditos.

MARÍA BARANDA (México, 1962). *El jardín de los encantamientos* (México, Universidad Autónoma Metropolitana, 1989) y *Fábula de los perdidos* (México, El Equilibrista, 1990) son dos de sus libros.

JULIO HUBARD (México, 1962). Dirige una empresa de Internet, software y multimedia. Es autor de los libros de poesía *Presentes sucesiones* (México, Fondo de Cultura, 1989) y *Una turba de gente adorable* (México, Universidad Autónoma Metropolitana, 1992). Los poemas que ofrecemos pertenecen a su próximo libro, *Santiamén*.

JUAN CARLOS RAMIRO QUIROGA (Bolivia, 1962). Licenciado en literatura, trabaja de periodista cultural en el periódico *Hoy* de La Paz. sus poemas deben leerse de abajo hacia arriba y de derecha a izquierda. Según Blanca Wiethuchter esta inversión "denuncia el alejamiento del lugar propio: extrañamiento de habla, de norte, de ciudad, de dioses". Es autor de *Kámara de eco* (La Paz, Ediciones Espanto del Mancos Los, 1994).

D.G. HELDER (Rosario, Argentina, 1961). Publicó *El faro de Guereño* (1990), *El guadal* (1994), y en colaboración con Rafael Bielsa *Quince poemas* (1988). Los poemas que damos a conocer forman parte de un libro inédito, *Tomas para un documental*. Otro fragmento viene en *InterNauta Poesía,* núm 0.

EDWIN MADRID (Quito, 1961). Se desempeña como periodista. Es autor de *Oh, muerte de pequeños senos de oro* (1987), *Enamorado de un fantasma* (1991) y *Celebriedad* (1991), entre otros libros de poesía.

LOURDES SIFONTES GRECO (Caracas, 1961). Ha publicado, además de crítica literaria, varios tomos de poesía, entre ellos *Oficios de auriga* (Caracas, Fundarte, 1992) y *De cómplice y amante* (Caracas, Monte Ávila, 1993), así como la novela *Los nuevos exilios* (Caracas, Planeta, 1991). En 1982 obtuvo el premio de cuentos del concurso de *El Nacional.*

ANA BELÉN LÓPEZ (México, 1961). Estudió letras en la Universidad Iberoamericana, donde es profesora. Pertenece al consejo editorial de la revista *Poesía y Poética* que publica la Universidad Iberoamericana y dirige Hugo Gola. Es autora de *Alejándose avanza* (México, Fondo Editorial Tierra Adentro, 1993).

CARLOS CORTÉS (Costa Rica, 1961). Ganó los Juegos Florales Centroamericanos en poesía; es autor de *El amor esa bes-*

tia platónica, Salomé descalza y *Cantos sumergidos*, además de la novela *Encendiendo un cigarrillo con la punta de otro*.

ALDO MAZZUCCHELLI (Uruguay, 1961). Su poema proviene de la muestra uruguaya en *trashumancia* (Guadalajara).

JOSÉ A. MAZZOTTI (Lima, 1961). Ganó los Juegos Florales de la Universidad de San Marcos en 1980. Se doctoró en la Universidad de Princeton con una tesis sobre el Inca Garcilaso que publicó el Fondo de Cultura, *Coros mestizos del Inca Garcilaso* (1996). Actualmente es profesor de literatura colonial en la Universidad de Harvard. Ha publicado *Poemas no recogidos en libro* (1981), *Fierro curvo* (1985), y los cuadernos artesanales *Castillo de popa* (Princeton, 1991) y *El libro de las aureolas boreales* (Princeton,1994).

GABRIELA SACCONE (Rosario, Argentina, 1961). Su primer libro de poemas, *In Memoriam y otros poemas,* aparece en la revista electrónica *InterNauta Poesía* (1996).

GUILLERMO VALENZUELA (Santiago de Chile, 1961). Fue editor de la revista *Piel de Leopardo* y participó del equipo editor de *Venus Negra*. Publicó *Fabla Graffity* (1987) y *Húsar* (Santiago, Bajo el Volcán, 1995).

MANÓN KÜBLER (Caracas, 1961). Periodista, guionista de cine y TV, ha realizado cortometrajes reconocidos internacionalmente. Su primer libro de poemas es *Olympia* (Monte Ávila, 1992).

TERESA MELO (Santiago de Cuba, 1961). Estudió filología en la Universidad de La Habana. Fue mencionada en 1987 por el concurso de la Unión de Escritores y Artistas de Cuba.

395

NÉSTOR ROJAS (El Tigre, Venezuela, 1961). Vive en su provincia, donde es coordinador de talleres literarios y periodista. Ha publicado *Transfiguraciones* (Ateneo de El Tigre, 1989) y tiene varios otros poemarios en prensa.

MARTÍN PRIETO (Rosario, Argentina, 1961). Sus poemas han aparecido en los volúmenes colectivos *Poesía de cuarta* (1980) y *Con uno basta* (1982). Forma parte del consejo de redacción de *Diario de Poesía*. Su libro *Verde y blanco* (Buenos Aires, Tierra Firme, 1988) fue reproducido por *Inter Nauta Poesía* y damos del mismo una muestra.

DOMINGO DE RAMOS (Ica, Perú, 1960). Uno de los poetas de *La última cena* (1987), colectivo de poesía peruana de los ochenta que editó el sello Asaltoalcielo, animado por José A. Mazzotti. Publicó los libros *Arquitectura del espanto* (1988), *Pastor de perros* (1993) y el cuaderno *Cerrada* (Filadelfia, Asaltoalcielo, 1996).

JOSÉ MÁRMOL (Santo Domingo, República Dominicana, 1960). Estudió filosofía y lingüística en su país. Ha sido profesor universitario y editor de la colección "Egro" de poesía. Entre sus numerosas publicaciones se encuentran *La invención del día* (Premio nacional de poesía, 1987) y *Lengua de paraíso* (Premio Pedro Henríquez Ureña, 1992).

PATRICIA MATUK (Lima, 1960). Reside en París. En 1982 obtuvo el premio de los Juegos Florales de la Universidad Católica. Es autora de *Sobre viviendo perdi dos* (Lima, Los Reyes Rojos, 1984).

ALEJANDRO SALAS (Caracas, 1960). Es autor de *Coloquio bajo la sombra de un piano* (1978), *Señales de solsticio* (1979), *Tres* (1981) y *Erotia* (1986).

MARIELA DREYFUS (Lima, 1960). Estudió literatura en la Universidad de San Marcos. Con una tesis sobre el erotismo en la poesía de César Moro se doctoró en la Universidad de Columbia, y es profesora en la de Auburn. Ha publicado *Memorias de Electra* (1984) y *Placer fantasma* (Lima, 1993) por el que obtuvo el premio de poesía de la Asociación Peruano Japonesa.

PATRICIA GUZMÁN (Caracas, 1960). Licenciada en comunicación social, enseñó en la Escuela de Comunicación Social de la Universidad Católica Andrés Bello. Realizó una tesis sobre poesía venezolana en La Sorbona. Fue directora de "Bajo Palabra", suplemento cultural de *El Diario de Caracas* y lo es ahora de "Verbigracia" en *El Universal.* Ha publicado *de mí, lo oscuro* (Caracas, PEN Club, 1987).

ROSSELLA DI PAOLO (Lima, 1960). Autora de *Prueba de galera* (1985), *Continuidad de los cuadros* (1988) y *Piel alzada* (1993).

MARÍA ANTONIETA FLORES (Caracas, 1960). Es autora de *El señor de la muralla* (Caracas, UCV, 1991), *Presente que no en ausencias* (Fundarte, 1995) y *Agar* (Valencia, Secretaría de Cultura de Carabobo, 1996). Trabaja como profesora y es crítica literaria.

EDUARDO CHIRINOS (Lima, 1960). Hace el doctorado de literatura en la Universidad de Rutgers. Entre sus libros se cuentan *Cuadernos de Horacio Morell* (1981), *Crónicas de un ocioso* (1983), *Sermón sobre la muerte* (Madrid, Tapir, 1986), *Rituales del conocimiento y del sueño* (Madrid, 1987), *Canciones del herrero del arca* (1989), *Recuerda, cuerpo…* (Madrid, Tapir, 1991) y *Raritan Blues, antología personal, 1987-1996* (México, Universidad Autónoma Metropolitana, 1997).

VÍCTOR FOWLER CALZADA (La Habana, 1960). Licenciado en pedagogía, especialidad de lengua y literatura españolas. Es jefe de publicaciones de la Escuela Internacional de Cine y Televisión de San Antonio de los Baños. Ha publicado ensayos críticos, organizado jornadas literarias, y participado en libros colectivos, el más importante de los cuales es *Retrato de grupo* (La Habana, Letras Cubanas, 1989), que anunció la nueva poesía cubana. Es autor de varios poemarios y plaquettes, entre los que se cuentan *El próximo que venga* (1985), y *Estudios de cerámica griega* (Letras Cubanas, 1991), *Confesionario* t1993) y *Visitas* (La Habana, Extramuros, 1966).

PATRICIA ALBA (Lima, 1960). Su poesía aparece en varias antologías y revistas. Ha publicado *O un cuchillo esperándome* (Lima, Editorial Colmillo Blanco, 1988).

MARTHA KORNBLITH (1959-1997). Poeta venezolana nacida en Lima, estudió comunicación social y letras en la Universidad Central de Venezuela. Formó parte del grupo literario Eclepsidra, en cuyo colectivo *Vitrales de Alejandría* (1994) aparecieron poemas suyos. Su obra poética está recogida en *Oraciones para un dios ausente* (Caracas, Monte Ávila, 1994). Antes de quitarse la vida había terminado un nuevo cuaderno, que editará Pequeña Venecia.

ROLANDO SÁNCHEZ MEJÍAS (Holguín, Cuba, 1959). Narrador y poeta, director en La Habana del *Proyecto Diáspora(s)*. Entre sus libros están *Collage en azul adorable* (1991), *Cinco piezas narrativas* (1992) y *Escrituras* (1994), relatos. Su poesía está reunida en *Derivas I* (La Habana, 1994).

ROBINSON QUINTERO OSSA (Caramanta, Colombia,

1959). Miembro del comité editorial de *Ulrika* y *Puesto de Combate*. Es autor del poemario *De viaje* (1994). Ha trabajado con audiovisuales y se dedica también a la crítica literaria.

Se terminó de imprimir esta obra
en el mes de junio de 2001 en los talleres de

IMPRESORES ALDINA, S. A.
Obrero Mundial, 201 – 03100 México, D. F.

La edición consta de 1000 ejemplares
más sobrantes para reposición